PROF

Collection

Fables
(1668-1693)

JEAN DE LA FONTAINE

HUBERT CURIAL
Professeur d'Université

Sommaire

Les références et la numérotation des fables suivent l'usage établi depuis le début du XVIIIᵉ siècle. C'est encore aujourd'hui celui de l'édition des Fables que M. Jean-Pierre Collinet a donné dans l'édition Gallimard (coll. « Folio », nᵒ 2246). Mais certaines éditions scolaires ne respectent pas toujours cette tradition.

Édition : Alain-Michel Martin
Maquette : Tout pour plaire
Mise en page : Studio Bosson

FICHE PROFIL

Livre I des *Fables* (1668)

Jean de La Fontaine (1621-1695)

Poésie   XVIIe siècle

PRÉSENTATION

Dans la préface à son premier recueil (Livres I à VI), puis dans la dédicace au Dauphin (le fils de Louis XIV, alors âgé de sept ans), La Fontaine justifie son choix d'écrire des « fables » : si « l'apparence en est puérile », l'« utilité en est grande, car elles délivrent des vérités importantes ». Elles divertissent autant qu'elles instruisent. Tout en se plaçant sous le patronage d'Ésope (voir p. 27), La Fontaine insiste sur sa propre originalité : contrairement à la « brièveté » des fables d'Ésope, les siennes se veulent empreintes de « gaieté », et d'un tour « agréable ». Et s'il les compose en vers, c'est que la fable appartient par essence au domaine poétique. C'est le monde du merveilleux et de l'enchantement.

Sur les vingt-deux fables que comporte le premier Livre, douze campent exclusivement des animaux (I, 1-6 ; 8-10 ; 18, 20 et 21). Six mettent en scène des humains (I, 11 à 14 ; 17, 19). Deux, par la personnification de la mort, sont allégoriques (I, 15-16). Une renvoie à l'univers végétal (I, 22) et une autre met en présence les dieux (Jupiter en particulier) et les animaux (I, 7). Dans le monde féerique, tout peut donc accéder au rang de personnage.

CLÉS POUR LA LECTURE

1. Des leçons de bon sens

Il convient de se prémunir contre l'imprévoyance (I, 1), la flatterie (I, 2), la sotte suffisance (I, 3) et l'ambition (I, 4), de se méfier des trompeurs (I, 18), des moralisateurs (I, 19), des plagiaires (5, 21) et de notre amour-propre (I, 8, II).

2. Un idéal de sagesse

L'éloge de la liberté (I, 5, 6, 9 et 10) voisine avec celui du talent, toujours supérieur à la force (I, 14). Quant à la mort, il faut en apprivoiser l'idée car elle est inéluctable (I, 15-16).

3. Une réflexion politique

Si un État centralisé est plus fort qu'une coalition (I, 12), les petits pays ont toujours tout à craindre des ambitions territoriales de leurs voisins (I, 13).

4. La conception de la fable

La fable doit à la fois instruire et plaire. L'art de raconter et de raconter gaiement est indissociable de la volonté d'instruire.

FICHE PROFIL

Livre II des *Fables* (1668)

PRÉSENTATION

Vingt fables composent le Livre II. La première est une réponse à ceux qui méprisent les fables parce qu'ils les jugent trop « mensongères », trop invraisemblables. Or elles ne semblent pas aux yeux du fabuliste plus irréalistes que l'épopée, qui fait parler les dieux, ou la poésie pastorale, qui anime la nature et exagère les sentiments. Ces deux derniers genres sont pourtant prisés par les censeurs de la fable.

Presque toutes les fables du Livre II dépeignent le monde animal (II, 2-12 ; 14-16 ; 19). Une seule (II, 13) est consacrée aux hommes, deux font cohabiter les animaux et les humains (II, 18, 20) et une, les dieux et les bêtes (II, 17).

CLÉS POUR LA LECTURE

1. La satire de la vie sociale et politique

– La « sottise » des grands et des puissants (II, 2, 4).

– Les ruses des hypocrites, des coquins et des méchants (II, 3, 4, 6, 7).

2. Mieux se connaître pour dominer ses faiblesses

– Accepter ses limites et son caractère (II, 10, 16, 19).

– Ne pas se laisser aller à la mélancolie (II, 14, 15).

3. Un idéal humaniste

– Nécessité de s'entraider (II, 11, 12).

– Garder un esprit critique pour ne pas se laisser abuser par les fausses sciences et les charlatans (II, 13).

– Garder confiance dans la Providence (II, 13).

4. « Mensonge » et vérité de la fable :

En affirmant que la fable n'est pas plus « mensongère » que la poésie épique, La Fontaine réhabilite le genre de la fable.

Livre III des *Fables* (1668)

PRÉSENTATION

Les dix-huit fables du Livre III sont d'une coloration nettement plus politique que dans les livres précédents. Certaines développent des considérations générales sur la grandeur et la prospérité d'un état monarchique (III, 2, 6). D'autres évoquent, de manière plus ou moins explicite, la disgrâce et la condamnation de Fouquet, surintendant des finances et protecteur de La Fontaine (voir p. 93), et elles dénoncent le comportement de ses ennemis, notamment le ministre Colbert (III, 7-15).

CLÉS POUR LA LECTURE

1. La réflexion politique

– La fidélité au roi (III, 2).

– La condamnation des troubles (III, 4) et des fourbes qui sont d'autant plus dangereux que leurs ruses réussissent parfois (III, 3, 5, 6).

2. Réflexions sur une disgrâce politique

– La dénonciation des ingrats (III, 9).

– Méfiance constante envers les grandeurs, les hommages flatteurs et les méchants (III, 9, 10, 13, 15, 18).

– Nécessité d'une prudence permanente (III, 12, 16).

3. La fable et la satire

En se faisant chronique de l'actualité et peinture des mœurs, la fable déborde sur le genre de la satire.

FICHE PROFIL

Livre IV des *Fables* (1668)

PRÉSENTATION

Le Livre IV s'ouvre sur un conte galant dédié à la fille de Madame de Sévigné, la célèbre épistolière, et nous dévoile que l'amour ne fait pas bon ménage avec la prudence. La présence des hommes s'accentue. Six fables campent exclusivement des êtres humains (IV, 2, 4, 8, 17, 18 et 20). L'univers de la fable s'élargit par ailleurs aux dimensions de l'imaginaire. Six fables ne mettent en scène que des animaux (IV, 3, 5, 6, 7, 9, 11), les autres font cohabiter êtres humains, animaux, dieux, statue et buste, bâtons et la mer « personnifiée ». La poétisation de cet univers ne s'accompagne pas pour autant d'une mise à distance du réel, au contraire, la satire de mœurs s'accentue ; la réflexion politique se poursuit et l'art de vivre s'approfondit.

CLÉS POUR LA LECTURE

1. L'engagement politique
– Condamnation du ministre Colbert et de sa politique coloniale du commerce maritime (IV, 2).

2. La satire de mœurs
– Dénonciation des imposteurs (IV, 3), des hypocrites (IV, 5), des ingrats (IV, 8), des plagiaires (IV, 9), des avares (IV, 20).

3. L'art de bien vivre
– Savoir distinguer entre ses vrais et faux amis (IV, 15-17).
– Savoir conserver sa lucidité (IV, 11), sa liberté (IV, 13), maîtriser ses ressentiments (IV, 18) et ne compter que sur soi-même (IV, 22).
– Faire confiance à la Providence (IV, 19).

4. La poétisation de l'univers des fables
Le fabuliste fait évoluer la conception ésopique de la fable, en donnant vie à des êtres de plus en plus imaginaires.

Livre V des *Fables* (1668)

PRÉSENTATION

La première des vingt et une fables du Livre V est un art poétique, dans lequel La Fontaine précise sa conception de la fable : « Une ample comédie à cent actes divers » dont « la scène est l'Univers. » Des personnages nouveaux apparaissent : des objets s'animent (V, 2, 16) ; les personnifications deviennent plus nombreuses (V, 9 et 11). Si les dieux, les hommes et les animaux continuent de cohabiter, des monstres mythologiques surgissent (V, 7). L'univers des fables s'ouvre sur le rêve et la fantaisie. C'est pour porter un regard plus attentif encore sur la société et l'existence.

CLÉS POUR LA LECTURE

1. L'observation satirique

Des médecins (V, 12), des vaniteux (V, 14, 21), des mécontents perpétuels (V, 16).

2. Un appel à la prudence

– Se méfier des puissants qui, s'ils ne font pas de bien, peuvent toujours faire du mal (V, 2, 4), des mauvais conseillers (V, 5), des hypocrites (5, 9), des imprudents (V, 6), des cupides (V, 13), des ingrats (V, 15).

3. Un appel à la responsabilité individuelle

– Ne compter que sur son travail (V, 9).
– Ne pas accuser le sort de nos imprudences (V, 11).
– Connaître ses limites et se contenter de ce que l'on a (V, 10).

4. La fable et le conte

La place grandissante que prennent les récits ainsi que l'humanisation progressive des « personnages », rendent de plus en plus floues les frontières traditionnelles entre la fable et le conte. Certaines fables ne comportent d'ailleurs plus de « moralité » explicite. La Fontaine s'affirme de plus en plus comme un conteur.

FICHE PROFIL

Livre VI des *Fables* (1668)

PRÉSENTATION

Comme dans le livre précédent, le Livre VI s'ouvre sur un « art poétique », dans lequel La Fontaine souligne qu'il importe autant d'« instruire » que de « plaire ». La « gaieté » de la fable et le plaisir de la lire en font mieux retenir la « moralité ». Ici et là pourtant, La Fontaine cède plus au plaisir du « conte » (la « moralité » y est absente ou implicite) que de la « fable » (VI, 3, 20, 21) tandis que les fables mettant en scène exclusivement des animaux diminuent (VI, 6, 7, 9, 10, 14, 16, 17). En revanche, allégories et personnifications deviennent plus nombreuses (VI, 3, 4, 12). Un « Épilogue » clôt le Livre VI, qui lui-même termine le recueil. La Fontaine y annonce son intention d'abandonner le genre de la fable pour se consacrer à d'autres formes d'écriture.

CLÉS POUR LA LECTURE

1. La satire de mœurs

– Condamnation des fanfarons de toutes sortes (VI, 2, 4), des charlatans (VI, 19) et des ingrats (VI, 13), des vaniteux (VI, 7).

2. La satire politique

– Ce n'est pas parce que l'on est au pouvoir que l'on est capable de l'exercer (VI, 6).

– Nécessité de toujours rester prudent envers les grands (VI, 14).

– Changer de maître, c'est toujours avoir un maître.

– Plus il y a de puissants, plus il y a de malheurs (VI, 12).

3. L'élaboration d'une sagesse personnelle

– Ne pas confondre vitesse et précipitation (VI, 10), le rêve et la réalité (VI, 17), l'apparence et le réel (VI, 6).

– Être généreux et solidaire (VI, 15, 16) mais de manière réfléchie (VI, 13).

FICHE PROFIL

Livre VII des *Fables* (1678)

PRÉSENTATION

L'*Avertissement* qui ouvre le « second recueil » des *Fables* (Livres VII à XI) signale les différences avec le premier (Livres I à VI). Tout, dit le fabuliste, y est nouveau : la manière d'écrire, les sujets choisis, la structure des fables, les préoccupations morales et philosophiques. La dédicace à Mme de Montespan (1641-1707), maîtresse depuis dix ans du roi Louis XIV, confirme ce changement de perspective. La fable ne s'adresse plus à des enfants mais à des adultes.

STRUCTURE DU LIVRE VII

Le Livre VII est composé de dix-sept fables :
– huit ne mettent en scène que des animaux (VII, 1, 3, 6 7,8, 12, 15 et 16) ;
– huit traitent du seul comportement des hommes (VII, 2, 4, 9, 10, 11, 13, 14 et 17).
La fable 4 (*Le Héron, La Fille*) est une fable double qui illustre le thème du dédain sur le registre tour à tour animalier (le « héron ») et humain (la « fille »). La fable 5 (*Les Souhaits*), consacrée aux démons et aux esprits, est d'inspiration mythologique.

CLÉS POUR LA LECTURE

1. Le renouvellement de la fable

En variant la forme de ses fables, en y introduisant de nouveaux thèmes et de nouveaux personnages, La Fontaine s'éloigne de la conception ésopique du genre. Il le recrée.

2. Animalisation et humanisation

Si les animaux continuent d'être le plus souvent les « personnages » principaux, ceux-ci s'organisent en société, qui fonctionne sur le modèle de la société humaine et monarchique.

FICHE PROFIL

Livre VIII des *Fables* (1678)

PRÉSENTATION

Vingt-sept fables composent le Livre VIII. La tendance, observée dans le Livre VII, s'accentue : la peinture directe du monde des humains devient quantitativement prépondérante.

– Douze fables campent les hommes (VIII, 1, 2, 4, 6, 11, 13, 16, 18 19, 20, 23 et 26).

– Six fables les évoquent en compagnie d'animaux (VIII, 5, 7, 8, 10,12 et 27).

– Neuf fables concernant exclusivement les animaux (VIII, 3, 9, 14, 15, 17, 21, 22, 24 et 25).

CLÉS POUR LA LECTURE

1. L'élaboration d'un art de vivre
– Choisir de vrais amis (VIII, 11, 21, 22, 23).
– La nécessité de l'entraide (VIII, 17).
– Les soucis de la richesse (VIII, 2, 27).
– Se méfier des puissants (VIII, 18, 20).
– Savoir affronter la mort (VIII, 1, 12).

2. La dénonciation de l'ignorance
– Par manque d'expérience (VIII, 9) ;
– par manque d'intelligence (VIII, 10) ;
– par vanité (VIII, 19) et crédulité (VIII, 16).

3. Hérédité et éducation
– La question de leurs rapports respectifs (VIII, 24).

4. La dénonciation de la sottise
– Chez les rois et les courtisans (VIII, 3, 4,14) ;
– chez les Français en général (VIII, 15, 26) ;
– chez les femmes (VIII, 6) et les plaisantins (VIII, 8).

FICHE PROFIL

Livre IX des *Fables* (1679)

PRÉSENTATION

Le Livre IX comporte dix-neuf fables et un très long *Discours à Madame de La Sablière*, protectrice de La Fontaine.

L'univers des fables s'agrandit. Le registre animalier subsiste, mais se rétrécit. Seules six fables en relèvent (IX, 2, 3, 10, 14, 17, 18). Six autres sont exclusivement consacrées aux hommes (IX, 1, 5, 6, 8 15, 16). Deux font coexister hommes et animaux (IX, 9, 19).

La nouveauté tient à la part grandissante réservée au monde végétal, qu'il soit décrit pour lui-même (IX, 4) ou dans ses rapports avec les règnes animal et humain (IX, 11). L'imaginaire se déploie. Il s'étend à la cohabitation des hommes et des dieux (IX 13), à la métamorphose d'une « souris » en « fille » (IX, 7), à l'animation d'un « cierge » (IX, 12). Les fables annexent désormais tous les domaines, même philosophiques. Le *Discours à Madame de La Sablière* est un plaidoyer vigoureux en faveur de l'existence de l'âme des bêtes.

CLÉS POUR LA LECTURE

1. La fable philosophique

L'important *Discours à Madame de La Sablière* pose la question des rapports entre la poésie, la fable et les conceptions philosophiques. La Fontaine renoue ici avec une des fonctions anciennes de la poésie antique. La fable devient de son côté une preuve apportée à l'argumentation.

2. Le tableau de mœurs

Tant dans ses thèmes que dans ses cibles, la satire s'élargit. Preuve supplémentaire que la fable est destinée davantage aux adultes qu'aux enfants.

Livre X des *Fables* (1679)

PRÉSENTATION

Quatorze fables et un long *Discours* composent le Livre X. Six fables dépeignent le monde animal (X, 2, 3, 6, 7, 8 et 12). Quatre sont exclusivement consacrées aux humains (X, 4, 9, 13 et 15). Quatre autres mettent en scène des hommes et des animaux (X, 1, 5 10 et 11).

L'affirmation du comportement identique des hommes et des bêtes, développée dans le *Discours à Monsieur de duc de La Rochefoucauld* (X, 14), constitue l'originalité du Livre X. Aussi les animaux, ne se sentant pas inférieurs aux hommes, jugent-ils sévèrement ces derniers.

CLÉS POUR LA LECTURE

1. Une réflexion sur la place de l'homme dans l'univers

Bêtes et plantes entreprennent d'instruire le procès de l'homme, qui se croit, à tort, le maître sur terre. Sous une forme le plus souvent judiciaire se poursuit la réflexion philosophique commencée dans le livre précédent. L'homme fait partie d'une immense chaîne vitale, qui lui impose plus de devoirs que de droits.

2. Les registres des fables

La Fontaine diversifie de plus en plus ses registres d'écriture : l'humour, la fantaisie et le comique alternent avec la dramatisation.

Livre XI des *Fables* (1679)

C'est le dernier et le plus bref des livres du « second recueil ». Il ne compte en effet que neuf fables.

Quatre d'entre elles évoquent les animaux (XI, 1, 5, 6 et 9). Quatre autres traitent exclusivement des hommes (XI, 2, 4, 7 et 8). Une seule met face à face les hommes et les animaux (XI, 3). Un *Épilogue* clôt le Livre et le recueil. La Fontaine fait ses adieux aux fables, invite ses successeurs à en écrire, si possible, de meilleures que les siennes ; il loue enfin Louis XIV d'avoir donné à la France un prestige qui rayonne dans toute l'Europe.

Le Livre XI reprend les thèmes du Livre X Il n'en possède pas moins sa part d'originalité. Quatre fables se présentent en effet comme de véritables plaidoyers dans lesquels La Fontaine expose un idéal de sagesse.

1. Les fables comme manuel de sagesse

Sur un ton qui n'exclut pas le lyrisme ni les confidences, le fabuliste dévoile dans ce dernier Livre du second recueil sa philosophie de l'existence : importance de l'amitié ; nécessité de conserver son indépendance d'esprit ; goût pour la réflexion ; confiance dans la Providence.

2. Un « épilogue » en forme de testament

Le fabuliste rappelle ses conceptions poétiques ; et si, par humilité, il souhaite que ses successeurs fassent mieux que lui, il n'en reste pas moins convaincu de passer à la postérité. C'est la conception classique de l'art qui, seul, peut défier le temps.

FICHE PROFIL

Livre XII des *Fables* (1693)

PRÉSENTATION

Dédié au duc de Bourgogne, le petit-fils de Louis XIV, le Livre XII comporte vingt-neuf fables. Elles se répartissent de la manière suivante :

– seize sont des fables animalières (XII, 2, 4, 5, 6, 7, 8, 9, 10, 11, 13, 15, 17, 18, 19, 21 et 23) ;

– cinq sont consacrées aux humains (XII, 1, 14, 20, 22 et 29) ;

– trois font cohabiter et converser les hommes, les animaux et les plantes (XII, 3, 12, 16) ;

– deux fables sont en réalité des contes d'inspiration libertine (XII, 26 et 27) ;

– trois sont des récits mythologiques (XII, 24, 25, 28).

CLÉS POUR LA LECTURE

1. La fable et le conte

Les différences entre la fable et le conte apparaissent nettement : longueur du récit ; disparition de la « moralité » ; présence parfois d'une inspiration libertine ; disparition des animaux ou inversion du procédé (ce sont des hommes qui deviennent des animaux) ; plaisir de raconter.

2. La Fontaine moraliste

La dénonciation des passions humaines s'accompagne d'un plaidoyer en faveur de la justice, de la paix, et d'une confiance renouvelée en Dieu.

Jean de La Fontaine : repères biographiques

1621-1657 : LES PREMIÈRES ANNÉES

Jean de La Fontaine naît en 1621 à Château-Thierry, en Champagne, dans une famille de bonne bourgeoisie. Sa jeunesse est insouciante. Aux études de théologie puis de droit, entreprises sans passion, il préfère les loisirs qui lui permettent de lire. Sa vie durant, La Fontaine sera un grand lecteur, appréciant aussi bien la littérature grecque et latine que les écrivains espagnols, italiens (Boccace, l'Arioste) et français (Rabelais, Montaigne, Marot).

En 1647, ses parents le marient à une jeune femme qu'il négligera vite. Pour disposer de quelques revenus financiers, il accepte en 1652 une charge administrative de « maître des eaux et forêts ». L'emploi n'est en fait guère payé, mais La Fontaine peut s'adonner à ses rêveries lors de fréquentes randonnées dans la forêt champenoise et sur les rives de la Marne. Déjà, il écrit des vers, compose ses premières fables et adapte librement une comédie latine de Térence, L'*Eunuque*[1].

1658-1664 : LA SÉCURITÉ ET L'EXIL

Introduit en 1658 dans l'entourage du richissime ministre des Finances, Nicolas Fouquet (1615-1680), La Fontaine s'attache à ce maître puissant et cultivé, qui lui accorde bientôt une pension. Pour son protecteur, il écrit plusieurs poèmes : *Adonis, Climène,* et surtout

---

1. Térence (vers 190-vers 159 av. J.-C.) composa six comédies, dont Molière s'inspirera au XVIIe siècle.

Le *Songe de Vaux*, qui célèbre les splendeurs du château de Vaux-le-Vicomte[1] que Fouquet venait de se faire construire.

Accusé de corruption, Fouquet est arrêté en septembre 1661, puis jugé et condamné à la prison à vie[2]. Sa soudaine disgrâce place La Fontaine dans une situation délicate. Resté courageusement fidèle à son maître déchu, il implore en vain la clémence de Louis XIV dans l'*Élégie aux nymphes de Vaux*.

Désormais presque sans ressources et fort mal vu du pouvoir royal, La Fontaine se voit contraint d'accompagner son oncle exilé en Limousin.

1664-1672 : VERS LA GLOIRE

Revenu à Paris, La Fontaine entre comme « gentilhomme servant » dans la domesticité de la duchesse d'Orléans[3]. Ses nouvelles fonctions, qui n'ont rien de déshonorant, lui assurent le gîte et le couvert, tout en lui laissant une grande liberté. Cultivant l'amitié de Racine, de Molière, de Boileau et de Mme de La Fayette, il peut désormais s'adonner complètement à l'écriture.

La publication en 1665 de *Contes et Nouvelles en vers* lui vaut d'emblée une certaine notoriété. Imités des poèmes italiens de l'Arioste et de Boccace, ce sont des récits galants et savoureux, qui charment le public mondain.

Au printemps de 1668, le premier recueil des *Fables* (Livres I à VI) remporte un immense succès. Le public apprend par cœur certaines fables, à jamais célèbres, comme *La Cigale et la Fourmi, Le Corbeau et le Renard, Le Chêne et le Roseau*. Preuve de ce succès, trois éditions du recueil se suivent en un an.

En 1669, La Fontaine publie un roman en prose et en vers, *Les Amours de Psyché et de Cupidon*, qui raconte la promenade de quatre amis dans le château de Versailles, alors en cours de construction.

---

1. Vaux-le-Vicomte se trouve près de Meulun, dans la région parisienne.
2. N. Fouquet mourra, de fait, en prison, au château de Pignerol (aujourd'hui en Italie).
3. Henriette d'Angleterre, belle-sœur de Louis XIV.

1672-1684 : MADAME DE LA SABLIÈRE

La mort de la duchesse d'Orléans, en 1672, laisse La Fontaine à nouveau dépourvu. Pour peu de temps toutefois. Dès 1673, il trouve asile chez Mme de La Sablière à qui l'unira une tendre amitié. Mondaine et cultivée, aimant à la fois la poésie et les sciences, Mme de La Sablière tient l'un des salons[1] les plus prestigieux de Paris. S'y rencontrent des écrivains, des philosophes, des mathématiciens, des médecins et de grands voyageurs comme l'orientaliste Bernier. À leur contact, La Fontaine élargit son horizon intellectuel, se passionne pour la science et la philosophie. De *Nouveaux Contes*, publiés en 1674, sont jugés si licencieux qu'ils sont interdits à la vente.

Dédié à Mme de Montespan, maîtresse de Louis XIV, le second recueil des *Fables* (Livres VI à XI) paraît en 1678 et 1679. La Fontaine y renouvelle le genre de la fable, étoffe les thèmes qu'il aborde. Sa réflexion se fait plus grave, plus intime également. Le succès de ce second recueil est encore plus éclatant que celui du premier.

En 1684, malgré les réticences de Louis XIV qui ne lui a pas pardonné son amitié pour Fouquet, La Fontaine est élu à l'Académie française.

1684-1695 : DE LA FRIVOLITÉ
À LA SAGESSE CHRÉTIENNE

Cette même année, Mme de La Sablière se retire du monde pour vivre dans la solitude et se consacrer à des activités charitables. La retraite dévote de sa protectrice n'empêche pas La Fontaine de fréquenter des milieux fort libres de pensée et de mœurs. « Volage en vers comme en amour », ainsi qu'il le reconnaît lui-même, le fabuliste mène joyeuse vie, conversant, soupant et multipliant les galanteries.

---

1. Un *salon* désigne au XVIIe siècle un hôtel aristocratique où, à l'initiative de la maîtresse de maison, se rencontraient régulièrement artistes, intellectuels et savants.

En 1687, La Fontaine rédige une sorte de testament littéraire, l'*Épître à Huet*, où il prend parti pour les Anciens dans la querelle des anciens et des modernes[1].

Un grave accident de santé en 1692 puis la mort de Mme de La Sablière en 1693 provoquent toutefois chez lui une profonde transformation intérieure. La Fontaine revient à des sentiments plus chrétiens. Il renie publiquement ses *Contes*, qu'il avoue trop osés et incompatibles avec les préceptes de la religion chrétienne.

Témoignant de cette évolution, le Livre XII des *Fables*, publié en 1693, exprime un idéal de sagesse faite de connaissance de soi et de confiance en Dieu.

La Fontaine meurt le 13 avril 1695 dans le luxueux hôtel parisien où, depuis deux ans, son ami le financier D'Hervart lui avait donné l'hospitalité. En procédant à sa toilette mortuaire, on trouvera sur lui un cilice[2]. La Fontaine est inhumé le lendemain, 14 avril 1695, au cimetière parisien des Saints-Innocents.

---

1. Cette querelle, qui devint vite célèbre, éclate en 1687. Il s'agissait de savoir qui, des œuvres de l'Antiquité ou de celles des modernes (pour l'époque) étaient les meilleures.
2. Un *cilice* est une chemise de crin que l'on porte à même la peau pour se mortifier et expier ses péchés.

Problématiques
essentielles

1 | L'apologue : définition et histoire du genre

Le nom de La Fontaine est indissociable de la fable. Le fabuliste n'est pourtant pas le créateur du genre, qui remonte à la nuit des temps. Les sociétés primitives, en effet, le pratiquaient déjà, du moins sous sa forme orale. Quand La Fontaine publie en 1668 son premier recueil de *Fables* (Livres I-VI), il s'inscrit donc dans une longue tradition. Mais s'il la perpétue, c'est pour mieux la bouleverser et la transformer, à tel point que la fable devient avec lui un genre radicalement nouveau. Dans l'histoire plusieurs fois millénaire de la fable, il y a un avant et un après La Fontaine. Aussi, pour bien mesurer cette évolution, convient-il de retracer ce que fut la fable jusqu'au XVIIe siècle.

DÉFINITION ET FORME DE L'APOLOGUE

L'apologue et la fable sont deux termes synonymes. Le premier est d'origine grecque, le second provient du latin (*fabula*). Mais que ce soit en grec ou en latin, tous deux dérivent du verbe « dire ». L'apologue ou la fable est donc une « prise de parole ». Dans la classification des genres littéraires, c'est un « récit » (par opposition au théâtre qui « représente » une action).

Mais tous les récits n'étant pas des fables, la fable est un récit d'une nature particulière. Rédigé en prose ou en vers, il est bref, mettant de préférence en scène des animaux, avec pour intention avouée de dispenser un enseignement (ou comme l'on disait également, une « moralité »). Son but est donc avant tout didactique.

Ainsi que le précise La Fontaine dans la préface de son premier recueil, l'apologue ou la fable comporte traditionnellement deux parties : le « corps » qui est le récit proprement dit, et l'« âme », qui est la leçon se dégageant du récit.

Ésope et la fable grecque

La tradition fait du Phrygien Ésope le créateur de la fable en tant que genre littéraire[1]. Sur la vie de cet ancien esclave qui mourut de mort violente à Delphes au vie siècle avant notre ère, on sait peu de chose. Mais on lui attribue plus de trois cents fables, qui se sont transmises de génération en génération, et qui furent régulièrement traduites et rééditées jusqu'en plein milieu du xviie siècle[2].

Ces fables dites « ésopiques » sont de courts récits, souvent secs, sans fantaisie ni description, exprimant une sagesse populaire et de bon sens. Ainsi *La Cigale et les Fourmis* :

> Pendant l'hiver, leur blé étant humide, les fourmis le faisaient sécher. La cigale mourant de faim, leur demandait de la nourriture. Les fourmis leur répondirent : « Pourquoi en été n'amassais-tu pas de quoi manger ? — Je n'étais pas inactive, dit celle-ci, je chantais mélodieusement. » Les fourmis se mirent à rire : « Eh bien, si en été tu chantais, maintenant que c'est l'hiver, danse. » Cette fable montre qu'il ne faut pas être négligent, en quoi que ce soit, si l'on veut éviter le chagrin et les dangers.

C'est sous le patronage d'Ésope que La Fontaine place son premier recueil de *Fables* : d'une part en le faisant précéder d'une *Vie d'Ésope le Phrygien* ; d'autre part en déclarant d'emblée dans la dédicace à « Monseigneur le Dauphin » :

> Je chante les Héros dont Ésope est le Père :
> Troupe de qui l'histoire, encor que mensongère,
> Contient des vérités qui servent de leçons.

Phèdre et la fable latine

Affranchi de l'empereur Auguste, Phèdre (30 av. J.-C.-44 ap. J.-C.) a laissé cinq Livres de fables. S'il reprend souvent les récits et les thèmes d'Ésope, il est l'un de ceux qui ont fait évoluer le genre de l'apologue.

---

1. On sait aujourd'hui qu'Ésope eut des prédécesseurs et que la fable, avant d'être écrite et de devenir « littéraire », fut un genre oral, longtemps pratiqué.
2. Par exemple, le recueil de Baudoin, intitulé : *Les Fables d'Ésope phrygien, traduites et moralisées*, paraît en 1631 et fut réédité en 1649, 1659 et 1683.

D'abord il écrit en vers, faisant ainsi passer la fable du domaine de la prose à celui de la poésie. À la sécheresse d'Ésope, il substitue une forme plus variée. Ses fables sont tour à tour satiriques, dramatiques, anecdotiques[1] – comme dans cet extrait du *Chien et le Loup* (dont se souviendra La Fontaine[2]).

> Un « chien gras et repu » croise « un loup maigre au dernier point ». Pris de pitié, le chien convie le loup à dîner.
> En chemin, le loup remarque le cou du chien, que la chaîne avait pelé : « D'où vient, mon ami ? » Ce n'est rien. — Dis pourtant, je te prie. — On me trouve trop ardent : alors on m'attache le jour pour que je me repose quand il fait clair et que je veille quand la nuit est venue. Au crépuscule je suis délié et vais où il me plaît. Sans que je bouge, on m'apporte du pain ; de sa table le maître me donne les os ; les gens de la maison me jettent des morceaux et tout ce dont ils ne veulent pas. Ainsi sans fatigue s'emplit mon ventre. — Et, dis, si tu t'avises d'aller quelque part, tu le peux ? — Pas absolument, dit-il. — Sois heureux à ta guise, chien ; je ne voudrais pas d'un trône, qui ne me laisserait pas ma liberté.

LA FABLE ORIENTALE

En dehors de la sphère gréco-romaine, l'Orient est, depuis les temps les plus anciens, le pays d'élection de la fable. Les conteurs chinois, indiens ou persans faisaient d'autant plus facilement dialoguer les hommes et les bêtes que les croyances religieuses en la métempsycose[3] répandaient la conviction que les âmes des morts pouvaient se réincarner en des animaux.

Introduites en Espagne par les Arabes, ces fables furent progressivement traduites d'abord en latin puis en français. Les plus importantes figurent dans le recueil de l'Indien Pilpay (ou Bidpaï), dont une version française est donnée en 1644. La Fontaine le cite explicitement dans l'*Avertissement* placé en tête de son second recueil (Livres VII-XII) dont il est l'une des sources.

---

1. Pour plus de détails, voir les chapitres 17, 18 et 20.
2. La Fontaine écrira une fable intitulée, *Le Loup et le Chien* (I, 5), qui dégage la même « moralité » que la fable de Phèdre.
3. La *métempsycose* est une doctrine religieuse selon laquelle les âmes peuvent animer successivement plusieurs corps.

La fréquentation, dans le salon de Madame de La Sablière[1], de grands voyageurs ayant parcouru l'Orient, la vague de l'orientalisme dans les années 1660[2] retiennent l'attention et l'intérêt de La Fontaine pour ces fables venues d'une civilisation différente. Au public français, elles offrent le charme de l'exotisme, du dépaysement et des rêves poétiques.

LA FABLE FRANÇAISE
AVANT LA FONTAINE

Le Moyen Âge et le XVIe siècle ont maintenu vivace la tradition de la fable.

D'une part, de nombreux auteurs se plaisent à en écrire. Au XIIe siècle, Marie de France en compose plus d'une centaine, dont celle du *Loup et de l'Agnel*, dont La Fontaine s'inspirera en partie dans sa propre fable du *Loup et l'Agneau* (I, 10). À sa manière, le *Roman de Renart,* entre 1174 et 1250, qui est une épopée animale, peut être considéré comme une vaste fable. Conteurs et romanciers n'hésitent pas en outre à parsemer de fables leurs ouvrages. Rabelais glisse par exemple dans le prologue de son *Quart Livre* (1552) la fable du *Bûcheron qui a perdu sa cognée*. Au début du XVIIe siècle, Mathurin Régnier place dans sa *Satire III sur la Vie de cour* la fable de *La Lionne, le Loup et le Mulet*. C'est que l'apologue apparaît à la fois récréatif et riche d'enseignements. Montaigne en prend la défense dans ses *Essais* (1580) pour en souligner le caractère sérieux[3].

D'autre part, circulent dès le Moyen Âge de nombreux recueils appelés Ysopets (« petits Ésopes ») qui adaptent les apologues grecs aux mœurs françaises. Les traductions versifiées d'Ésope lui-même se multiplient aux XVIe et XVIIe siècles. Le recueil de Nevelet (1610) qui comprend une *Vie d'Ésope*, les fables d'Ésope et de Phèdre, est sans cesse réédité.

---

1. Sur le salon de Madame de La Sablière, voir p. 22.
2. Sur cette vogue de l'orientalisme en France, voir le chapitre 9.
3. « La plupart des fables d'Ésope ont plusieurs sens et intelligences », observe Montaigne (*Essais*, II, 10).

2 | La conception de la fable dans le premier recueil (LIVRES I À VI)

La Fontaine n'est pas un inconnu quand, en 1668, paraît son (premier) recueil de fables : il est déjà l'auteur de plusieurs poèmes et surtout de *Contes*, qui ont remporté un vif succès[1]. Seuls ses familiers savent qu'il écrit aussi des fables depuis 1663 ou même, peut-être, depuis 1647[2]. Peu imaginent toutefois qu'il puisse en publier un recueil entier. C'est autant une surprise qu'une nouveauté.

Aussi, à plusieurs reprises, La Fontaine justifie-t-il son choix. Il développe par là même la conception qu'il se fait de la fable : il s'agit de plaire et d'instruire, conformément au modèle hérité d'Ésope. Mais, précise le fabuliste, l'imitation n'exclut pas l'originalité.

PLAIRE ET INSTRUIRE

« On ne saurait s'accoutumer de trop bonne heure à la sagesse et à la vertu [...]. Or quelle méthode y peut contribuer plus utilement que la fable ? » (*Préface*), déclare d'emblée La Fontaine. La fable est utile, mais pour l'être, elle doit être agréable.

Un genre utile

De fait, par quatre fois dans le premier recueil, La Fontaine insiste sur la dimension didactique de la fable. C'est une fiction qui répand dans l'« âme » des « semences de vertu », déclare-t-il dans la

---

1. Voir plus haut « Repères biographiques », p. 20.
2. Selon certaines interprétations, *Le Meunier, son fils et l'Âne* (III, 1) daterait de 1647, tandis qu'une fable comme *Le Renard et l'Écureuil* (restée inédite du vivant de La Fontaine) remonterait à 1663.

dédicace à « Monseigneur le Dauphin[1] ». Et, dans le poème liminaire, il ajoute : « Je me sers d'animaux pour instruire les hommes. »

Presque chaque Livre du recueil réaffirme la même idée : « Je me sers de la vérité », lit-on dans *Le Berger et la Mer* (IV, 2) ; et dans *Le Lion et le Chasseur* (VI, 1) :

> Les Fables ne sont pas ce qu'elles semblent être.
> Le plus simple animal nous y tient lieu de maître.

La dédicace du recueil à un enfant (le Dauphin) s'explique enfin par la valeur éducative de l'apologue (sur le contenu de l'« enseignement » dispensé par les fables, on se reportera pour plus de détail aux chapitres 15 et 16).

▌Un genre divertissant

À trop devenir didactique, la fable encourt le risque de décourager ou d'ennuyer le lecteur. Rien de plus fastidieux en effet que des « leçons de morale ». C'est pourquoi l'apologue se doit d'être agréable. Comme le constate La Fontaine :

> Une morale nue apporte de l'ennui ;
> Le conte fait passer le précepte avec lui
> En ces sortes de feinte[2], il faut s'instruire et plaire.
> (*Le Lion et le Chasseur*, VI, 1.)

L'« utile » conditionne l'« agréable ».

Or, pour La Fontaine, la fable est par définition un genre récréatif : elle crée un monde imaginaire où tout est possible. Animaux, plantes, objets peuvent s'animer, parler et se comporter comme des êtres humains. Comme le fabuliste l'exprime dans la préface du premier recueil :

> Les propriétés des animaux et leurs divers caractères y sont exprimés ; par conséquent les nôtres aussi, puisque nous sommes l'abrégé de ce qu'il y a de bon et de mauvais dans les créatures irraisonnables.

---

1. Le Dauphin, fils du roi Louis XIV et de la reine Marie-Thérèse d'Autriche, est né en 1661. Il mourra à l'âge de cinquante ans en 1711, quatre ans avant son père.
2. « Feinte » : fiction.

La fable n'exclut par ailleurs ni l'humour ni la satire. Il n'est pas besoin d'être pédant, bien au contraire. On apprend mieux en se divertissant[1].

Par ce programme – plaire et instruire –, La Fontaine adhère à la doctrine classique. À la même époque, Molière, par exemple, n'assigne pas à la comédie de buts différents : il s'agit de « corriger les mœurs » (donc d'« instruire ») par le rire.

LE MODELE ÉSOPIQUE

Pour justifier son entreprise, La Fontaine s'inscrit en permanence dans le sillage de ses devanciers, notamment de l'Antiquité.

Sous le patronage d'Ésope

La Fontaine place son (premier) recueil sous le patronage explicite d'Ésope : « Je chante les Héros dont Ésope est le père » (« À Monseigneur le Dauphin »), déclare-t-il d'emblée. Plusieurs fables font ensuite expressément référence au fabuliste grec : *Contre ceux qui ont le goût difficile* (II, 1), dans *Le Lièvre ou la Perdrix* (V, 17), dans *Le Lion et le Chasseur* (VI, 1) ou dans *Le Villageois et le Serpent* (VI, 13). Ésope devient même le personnage central d'une fable, dans *Le Testament expliqué par Ésope* (II, 20).

La fable ésopique

La référence à Ésope ne s'explique pas seulement par le désir de La Fontaine de se rechercher un maître illustre, ni même par l'hommage que les classiques rendaient traditionnellement aux Anciens. Elle traduit aussi et surtout une adhésion aux conceptions d'Ésope sur la fable.

Nombre de fables du (premier) recueil comporte un « corps » (un récit) et une « âme » (une « moralité »). Soit que le fabuliste dégage lui-même le sens de son récit : par exemple à la fin du *Lion et le Moucheron* (II, 9), où il intervient en personne :

---

1. Cette idée est plusieurs fois réaffirmée dans la *Préface*, dans II, 1 et dans VI, 2,

Quelle chose par là nous peut être enseignée ?
J'en vois deux[1]...

Soit que la « moralité » se trouve exprimée par l'un des personnages du récit[2].

Soit que la « leçon » provienne d'une transposition du plan animal
au plan humain. À l'instar de « la grenouille qui veut se faire aussi
grosse que le bœuf », « Le monde est plein de gens qui ne sont pas
plus sages[3]. »

Les fables d'Ésope se caractérisent en outre par leur brièveté et
leur concision. La notion de brièveté est évidemment relative. Mais,
d'une manière générale, les fables du (premier) recueil sont de
rapides poèmes : *Le Corbeau et le renard* (II, 2) comporte 18 vers ;
L'Oiseau blessé d'une flèche (II, 6), dix vers ; *Le Loup et la Cigogne*
(III, 9), 17 vers ; *Le Mulet se vantant de sa généalogie* (VI, 7),
14 vers...

À la suite d'Ésope, La Fontaine use enfin, en permanence, du procédé allégorique[4], sur lequel se fonde la fable : la description du
monde animal n'y vaut pas pour elle-même, mais par ce qu'elle
révèle du monde humain. (Pour plus de détails sur ce point, on se
reportera aux chapitres 10 et 11.)

L'ORIGINALITÉ DANS L'IMITATION

L'« imitation » de son illustre devancier n'est pas pour autant synonyme de plagiat ou de simple copie. Si modeste soit-il, La Fontaine
n'en revendique pas moins une certaine originalité, tant dans la
forme que dans la portée qu'il donne à ses fables.

---

1. Voir I, 11, 14 ; III, 2, 13 ; IV, 10 ; V, 10 ; VI, 4.
2. Voir I, 5, 9 ; II, 12, 14 : III, 4, 9 ; IV, 8, 10 ; V, 4, 12 ; VI, 10,14.
3. Voir I, 4 ; II, 2, 7 ; III, 3, 6, IV, 4, 11 ; V, 3, 19 ; VI, 7, 11.
4. L'*allégorie* est une figure de style qui consiste à personnifier une idée ou une
abstraction par un objet (par exemple la faux symbolise la mort, ou la balance représente
la justice) ou, dans le cas de la fable par un récit animalier, dont la « leçon » s'applique
évidemment aux hommes et non aux animaux.

La poétisation de la fable

Le (premier) recueil des fables paraît sous l'humble titre de *Fables choisies, mises en vers par M. de La Fontaine*. Cette « mise en vers » est, en réalité, une véritable innovation pour l'époque. Les théoriciens d'alors estimaient en effet l'entreprise impossible. Comment, objectaient-ils, concilier la nécessaire brièveté de la fable avec les exigences draconiennes de la versification française ? Certes le Latin Phèdre avait bien versifié ses fables. Mais le vers latin est plus dense et plus concis que le vers français[1]. *La Préface* que La Fontaine place en tête de son premier recueil résonne tout entière de ce débat.

Ce choix volontaire et personnel de La Fontaine n'est pas sans enjeu ; il révèle l'ambition de l'auteur de rendre sœurs la poésie et la fable. Poétique, la fable l'était par ses fictions animalières. Elle le devient dorénavant jusque dans ses apparences formelles. À une époque, en effet, où les genres littéraires étaient strictement codifiés[2], versifier la fable procédait d'une volonté affichée de l'apparenter à un poème[3] (voir le chapitre 21).

La portée élargie de la fable

Évoquant une nouvelle fois Ésope, La Fontaine précise dans *Le Vieillard et ses enfants* (IV, 18) :

> Si j'ajoute du mien à son invention,
> C'est pour peindre nos mœurs…

C'est clairement indiquer que, pour La Fontaine, la fable doit être un tableau de son temps. Elle est peinture et satire des conditions sociales, évocation de l'actualité politique, littéraire ou philosophique. Son apparent irréalisme (des animaux dotés de paroles) dissimule un souci et une observation du réel.

---

1. Le vers français est un vers syllabique, c'est-à-dire que l'on compte les syllabes pour en déterminer sa nature (un alexandrin doit par exemple comporter 12 syllabes). Le vers latin est, quant à lui, construit sur la notion de pieds (qui compte plusieurs syllabes).

2. C'est-à-dire que chaque genre littéraire (la comédie, la tragédie, la poésie, le roman…) devait en principe obéir à des règles très précises.

3. Le XVIIe siècle ignorait la notion de poème en prose.

3 | Le renouvellement de la fable dans le second recueil (LIVRES VII-XI) et le LIVRE XII

L'*Avertissement*, placé en tête du second recueil, souligne l'originalité des fables que La Fontaine publie en 1678. Cette originalité s'impose en effet comme une évidence lorsque l'on compare, même rapidement, les fables contenues dans les Livres VII à XI avec ce qu'était la fable avant La Fontaine. Elle se constate également quand on rapproche le second recueil du premier. Tout, dans les Livres VII à XI, est transformé, enrichi, recréé. La remarque vaut pour le Livre XII.

En renouvelant la forme, les personnages et les thèmes de la fable, La Fontaine érige celle-ci en genre littéraire à part entière.

LE RENOUVELLEMENT DE LA FORME

Par rapport au premier recueil, le second témoigne d'une manière nouvelle de raconter ; la fable annexe des genres qui lui étaient jusque-là étrangers ; et la variété des registres devient plus grande.

Par l'amplification du récit

Les fables publiées à partir de 1678 s'éloignent de leur brièveté originelle. *Les Animaux malades de la peste* (VI, 1) comportent par exemple 64 vers ; *La Laitière et le Pot au lait* (VII, 9), 44 vers ; *Les Obsèques de la Lionne* (VIII, 14), 55 vers, *Le Songe d'un habitant du Mogol* (XI, 4), 40 vers. Par comparaison avec les fables d'Ésope qui dépassaient rarement cinq à six lignes et avec *La Cigale et la Fourmi* (I, 1) ou *Le Corbeau et le Renard* (I, 2) qui font respectivement 22 et

18 vers, l'amplification est notable[1]. La Fontaine l'obtient de deux façons.

Des « circonstances de personnes[2] » détaillées

Par cette expression, le poète désigne tout ce qui fait connaître une personne : son nom, prénom ou surnom, ses goûts, ses habitudes, ses occupations ou préoccupations. La Fontaine multiplie ce type d'informations.

Chez lui, les animaux entretiennent entre eux des liens de parenté, de voisinage ou d'amitié. Souvent, ils exercent une activité. Voici « commère la carpe » (VII, 4), « compère loup » ou « sire Renard » (XI, 6). Dans *Le Chat, la Belette et le petit Lapin* (VII, 15), Janot lapin habite un logis que lui ont transmis ses ascendants, les lapins Pierre et Simon. Le Singe « Gille », « cousin et gendre de Bertrand », gagne sa vie les jours de foire en faisant des tours de prestidigitation (*Le Singe et le Léopard*, IX, 3). Le chat « Raminagrobis » juge la querelle qui surgit entre le Lapin et la Belette (VII, 15).

(Sur ces « circonstances de personne », on trouvera de plus amples informations au chapitre 7 consacré à la peinture des animaux.)

Des « circonstances de choses » précises

Sous cette appellation, on regroupait au XVIIe siècle les indications de lieu et de temps, les notations de décor, autrement dit toutes les particularités d'une scène ou d'un événement. La Fontaine les développe à plaisir. Dans *Le Rat qui s'est retiré du monde* (VII, 3) par exemple, un « certain Rat » a trouvé refuge dans un « fromage de Hollande ». « Un jour », ses congénères viennent lui demander de l'argent. Le « peuple chat » assiège leur capitale « Ratopolis », qu'il convient de secourir. La fable qui obéit à une intention satirique, dénonce l'hypocrisie et le manque de charité de certains prêtres et moines. Mais, au lieu d'être une simple leçon de morale, celle-ci se

---

1. La moyenne générale des fables formant les Livres VII à XI est de 46 vers. Elle est de moitié moins dans le premier recueil.

2. La Fontaine utilise cette expression dans l'*Avertissement* où il déclare avoir « étendu davantage les circonstances » des récits.

transforme en une petite scène romanesque grâce à ses indications géographiques, politiques et militaires.

En étoffant les « circonstances », La Fontaine donne à ses fables plus de vivacité et de diversité. Chacune d'elles devient différente des autres. De la variété naît l'originalité.

Par la pluralité des genres

La fable ésopique contenait obligatoirement un récit succinct. En quelques mots, une aventure, heureuse ou malheureuse, était contée. Tel n'est plus toujours le cas chez La Fontaine dans les Livres VII à XII.

Certes, quelques fables sont des récits comme *Les Animaux malades de la peste* (VII, 1), *Le Rieur et les Poissons* (VIII, 8), *Jupiter et les Tonnerres* (VIII, 20) ou *L'Éducation* (VIII, 24).

Mais de nombreuses autres ne renferment aucune action. Les unes sont des débats : sur la démagogie (*La Tête et la Queue du Serpent*, VII, 16) ; sur l'ignorance et l'inexpérience (*Le Rat et l'Huître*, VIII, 9) ; sur la rage de plaider (*L'Huître et les Plaideurs*, IX, 9).

D'autres sont des discours et prennent la forme d'une dissertation philosophique adressée à un destinataire nominativement désigné. Le Livre IX s'achève par le long *Discours à Madame de La Sablière* sur l'âme des bêtes. La fable 14 du Livre X est un *Discours à Monsieur le duc de La Rochefoucauld*, centré sur l'idée que les hommes se comportent entre eux comme les bêtes entre elles.

D'autres fables encore sont de pures méditations sur la science, ses progrès et ses erreurs (*Un animal dans la Lune*, VII, 17) ; sur l'art et la stratégie militaires (*L'Écrevisse et sa fille*. XII, 10). Ailleurs le récit cède la place à l'évocation d'un songe (*Le Songe d'un habitant du Mogol*, XI, 4), à des conversations plus ou moins longues (*La Mort et le Mourant*, VIII, 1 ; *La Lionne et l'Ourse*, X, 12), à la modulation d'une plainte (*Le Chien à qui on a coupé les oreilles*, X, 8).

Le Livre XII renferme enfin deux contes : *La Matrone d'Éphèse* (XII, 26) et *Belphégor* (XII, 27) ; ainsi que deux récits mythologiques : *Philémon et Baucis* (XII, 25) et *Les Filles de Minée* (XII, 28).

Avec La Fontaine, la fable cesse d'offrir un visage unique : elle devient protéiforme pour s'adapter à toutes les sortes d'écriture.

Par la diversité des tons

Se proposant d'enseigner la morale, la fable ésopique n'avait ni prétention ni statut littéraires. La Fontaine en fait un exercice de style éblouissant. Chez lui, point de monotonie. Chaque fable possède son propre registre.

Celui-ci est tantôt épique[1], (dans *Les Animaux malades de la peste*, VII, 1), tantôt dramatique (*Les Obsèques de la Lionne*, VIII, 14). Le comique n'est pas absent (*Le Héron. La Fille*, VII, 4). Sur le mode héroï-comique, des choses banales ou des êtres ordinaires sont évoqués comme s'il s'agissait d'événements importants ou de personnes illustres (*Les Deux Coqs* VII 12 ; *Le Rat et l'Huître*, VIII, 9). Ailleurs prédomine le burlesque, qui s'appuie sur une opposition systématique entre le fond et la forme. Moins ce qui est mentionné est important, plus on en parle sérieusement, et vice versa. C'est l'art du contre-pied (*L'Éducation*, VIII, 24 ; *Jupiter et le Passager*, IX 13). D'autres fables touchent en revanche au grave et au sublime (*La Mort et le Mourant*, VIII, 1). Partout se déploie l'art de conter de La Fontaine.

LE RENOUVELLEMENT DES PERSONNAGES

La fable ésopique était exclusivement animalière. Le premier recueil s'écartait déjà de cette tradition, en mettant scène des humains. Les Livres VII-XII accentuent cette évolution.

Une présence humaine plus marquée

Le monde des hommes est plus fortement dépeint. Huit fables sur les dix-sept que contient le Livre VII mettent en scène des humains

---

1. L'*épopée* est un poème célébrant les exploits d'un héros, les bonheurs et les malheurs d'une nation.

(VII, 2, 4, 9, 10, 11, 13, 14, 17). Dans le Livre VIII, ce sont douze fables sur vingt-sept (VIII, 1, 2, 4, 6, 11, 13, 16, 18, 19, 20, 23, 26).

Leur présence accrue illustre un changement de perspective dans la conception que La Fontaine se fait de la fable : désormais, il s'agit moins d'enseigner que de peindre les mœurs.

(Voir sur ce sujet, le chapitre 10 sur la satire sociale.)

La fable devient en outre un univers enchanté, dans la mesure où les hommes et les animaux vivent et conversent de plain-pied. Fatigué de sa solitude, l'« Amateur des jardins » cherche par exemple la compagnie d'un « Ours montagnard » (VIII, 10). Un cocher peut dialoguer avec les animaux qu'il transporte (*Le Cochon, la Chèvre et le Mouton*, VIII, 12).

▌ L'apparition du règne végétal

De même que les hommes étaient traditionnellement exclus de la fable, de même le règne végétal en était banni. La Fontaine élève les arbres, les fruits et les plantes au rang et au statut de personnage. Le Gland et la Citrouille, dans la fable qui porte ce nom (IX, 4), se transforment en preuve de la sagesse divine. Un simple d'esprit se moque de la disproportion entre la petitesse du Gland et la puissance du chêne qui le produit. La grosse Citrouille possède en revanche une « tige menue ». Les choses sont donc mal faites. Notre homme s'endort au pied du chêne et un Gland lui tombe sur le nez. Heureusement que le chêne ne donne pas de Citrouille ! Dieu fait donc bien ce qu'il fait. Les arbres sont les acteurs principaux de *La Forêt et le Bûcheron* (XII, 16). Le Buisson joue un rôle aussi important que la Chauve-souris et le Canard (XII, 7).

(Voir pour plus de détails le chapitre 5 consacré au monde de la nature.)

▌ Des objets aux allégories

La Fontaine ne se contente pas de faire parler les trois règnes, animal, végétal et minéral. Il personnifie des objets, qui acquièrent une véritable existence. C'est, par exemple, le cas du Coche (VII, 8), du Fromage (VII, 3) ou du Cierge (IX, 12).

Expression d'une idée par une image, l'allégorie fournit également des personnages au fabuliste. La Mort intervient et parle (VIII, 1). L'« Éducation » est illustrée par la destinée de deux chiens, Laridon et César (VIII, 24). Une fable a pour titre significatif *L'Ingratitude et l'Injustice des hommes envers la Fortune* (VII, 13). Une autre traite de la Science (VIII, 19).

▌Des animaux organisés en société

La manière de peindre les animaux fait enfin l'objet d'une évolution capitale. Non seulement ceux-ci se comportent de plus en plus comme des hommes mais encore, à l'image de ces derniers, ils vivent en société. Autour du roi Lion s'est organisée une cour (par exemple dans *Les Animaux malades de la peste*, VII, 1 ou dans *Les Obsèques de la Lionne*, VIII, 14). En dessous de la noblesse et des courtisans, s'est constituée une bourgeoisie (pour plus de détails, voir le chapitre 10 sur la satire sociale). À l'instar des hommes, les animaux ont des convictions philosophiques ou religieuses. Ils invoquent le Ciel (VII, 1), défendent un idéal de justice (X, 1). Comme tout un chacun, ils possèdent enfin des défauts.

La Fontaine crée ainsi une « vaste comédie[1] » humaine où se font entendre, pour se confondre, les multiples voix d'un monde tout à la fois imaginaire et réel.

LE RENOUVELLEMENT DES THÈMES

Les fables de l'Antiquité mettaient en relief des idées générales, sans considération de philosophie, de politique ou de religion. Avec son second recueil, La Fontaine élargit ses domaines de réflexion. La dédicace À *Madame de Montespan*, en tête du Livre VII, est à cet égard révélatrice. Les fables s'adressent dorénavant aux adultes, mieux à même d'y discerner les échos de l'actualité, les prises de positions politiques et philosophiques.

---

1. L'expression est de La Fontaine (*Le Bûcheron et Mercure*, V, 1). Entendons par *comédie* une représentation de l'univers.

Des échos de l'actualité

Les événements intérieurs du pays ou des faits divers fournissent au fabuliste certains de ses sujets. *Les Devineresses* (VII, 14) font allusion à de sinistres affaires de poisons qui avaient défrayé la chronique judiciaire et politique dans les années 1676-1680[1]. *Le Chien qui porte à son cou le dîné de son maître* (VIII, 7) est une allusion directe aux gaspillages, par les intendants et les administrateurs, de l'argent public. Les dépenses inutiles et la corruption étaient telles que de nombreuses plaintes avaient été déposées en justice.

L'actualité se colore d'humour noir dans *Le Curé et le Mort* (VII, 10). L'histoire du corbillard qui, en se renversant, provoque la chute du cercueil et tue le prêtre, provient d'un fait divers réel. *L'Horoscope* (VIII, 16) dénonce la mode, alors fort répandue, de l'astrologie.

Des fables politiques

Les fables prennent par ailleurs parti dans le débat politique du temps et elles soutiennent souvent les options et les actions de Louis XIV.

Le second recueil renferme de nombreuses allusions à la guerre de Hollande. Depuis 1675, la France doit combattre l'alliance de la Hollande, de l'Espagne et de l'Empire autrichien. Au début, allié de Louis XIV, le roi d'Angleterre, Charles II, abandonne la France pour se cantonner dans une stricte neutralité. *Un animal dans la Lune* (VII, 17), *Le Pouvoir des Fables* (VIII, 4), *Le Lion* (XI, 1), *Le Bassa et le Marchand* (VIII, 18) et *Le Chat et le Rat* (VIII, 22) traitent de la même question. (Voir aussi le chapitre 11 relatif à la politique dans les fables du second recueil.)

Des fables philosophiques

La Fontaine laisse enfin transparaître ses préoccupations philosophiques. L'important *Discours à Madame de La Sablière* qui clôt le Livre IX aborde le sujet, alors très controversé, de l'intelligence et de l'âme des animaux (voir pp. 101-103).

---

1. Voir aussi le chapitre 11.

D'une fable à l'autre, on peut suivre l'évolution intellectuelle du poète. *La Mort et le Mourant* (VIII, 1) s'avère d'inspiration stoïcienne[1]. Quelques années plus tard, *Le Philosophe scythe* (XII, 20) rejette et condamne le stoïcisme. Cette doctrine grecque, élaborée au IVe siècle avant notre ère, qui prône la fermeté de caractère et l'indifférence hautaine devant les malheurs de l'existence, lui semble alors trop inhumaine.

L'influence de Platon (*Démocrite et les Abdéritains*, VIII, 26 ; *L'Homme et la Couleuvre*, X, 1) et de Montaigne (X, 1 ; *Le Philosophe scythe*, XII, 20) est également sensible. Aux théories de Gassendi (1592-1655), La Fontaine emprunte ses idées sur l'animisme universel : pierres, plantes, animaux, humains, tout est plein d'âmes, plus ou moins évoluées[2].

Les fables se font l'écho des interrogations et des problèmes d'une époque. Elles peuvent se lire comme les confidences d'un poète et comme un journal intime. Par là, elles acquièrent une dignité et un intérêt qu'elles ne possédaient pas auparavant.

L'originalité de La Fontaine est donc entière. Bien qu'il pratique un genre littéraire très ancien, il le renouvelle totalement, au point de le recréer. Avec lui, la fable change de visage. On comprend que dans l'*Épilogue* du Livre XI, il exprime sa fierté d'avoir fait de la fable un genre littéraire à part entière et d'avoir ouvert un « chemin ».

---

1. Voir le chapitre 13.
2. Sur toutes ces questions, voir le chapitre 12.

4 | Les *Fables* renferment-elles exclusivement des fables ?

Fables choisies, mises en vers par M. de La Fontaine : sous ce titre modeste et général paraissent successivement en 1668 le premier recueil des *Fables* (Livres I-VI) puis, en 1678-1679, le deuxième (Livres VII-XI), en 1693 enfin le Livre XII. Mais ce titre convient-il à tous les textes qu'ils contiennent ? Leur analyse permet d'en douter. La présence des animaux constitue à l'évidence une caractéristique essentielle de la fable, mais elle n'en est pas la marque suffisante. Bien des sujets traités par La Fontaine excluent d'ailleurs les animaux. En fait, sous l'appellation de fables, l'auteur regroupe des textes appartenant à des genres littéraires fort dissemblables. Certains sont d'authentiques fables ; d'autres, plutôt des récits et des contes ; d'autres enfin, des poèmes très différents des fables par leur inspiration et par leur tonalité.

DES FABLES VÉRITABLES

Au sens strict et précis du terme, seuls les textes respectant la structure et les intentions de la fable méritent une telle appellation.

La structure traditionnelle de la fable

Ésope, Phèdre et leurs continuateurs du Moyen Âge[1], ont fixé la forme de la fable. Celle-ci se compose ordinairement de deux parties inégales : le « corps », qui est le récit ; et l'« âme », qui est la moralité[2]. La Fontaine ne l'ignorait naturellement pas puisqu'il rappelle

---

1. Voir le chapitre 1.
2. *Moralité : intention morale.*

cette définition dans la Préface qu'il rédigea pour le premier recueil de ses Fables.

Le « corps » est donc narration d'une histoire ; et l'« âme » expression d'une règle morale, d'un conseil ou d'une règle de vie. Le passage de l'un à l'autre s'effectue selon le principe de la transposition : le lecteur transpose et adapte au monde des humains le comportement animal, en tirant la leçon de l'ensemble de la fable.

Il est bien évident, en effet, que la moralité ne concerne pas les animaux. Ce serait leur prêter une capacité de compréhension et de réflexion dont ils sont incapables. Décrits pour eux-mêmes, les animaux le sont également et surtout pour ce qu'ils peuvent signifier ou représenter (un vice ou une qualité). C'est pourquoi la fable est par essence allégorique : elle exprime, sous une apparence animale, une idée instructive[1].

Des fables conformes à la tradition

De très nombreuses fables du premier recueil se réfèrent au modèle ésopique. Par exemple *La Cigale et la Fourmi* (I, 1), *Le Corbeau et le Renard* (I, 2), *Conseil tenu par les Rats* (II, 2), *Le Lion et le Moucheron* (II, 9), *La Grenouille et le Rat* (IV, 11)… Il faudrait citer la plupart des fables des Livres I à VI (voir p. 30). Les Livres VII à XII renferment également des fables ésopiques. *Les Animaux malades de la peste* (VII, 1), *Le Coche et la Mouche* (VII, 8), *Les Deux Coqs* (VII, 12), *Le Chat, la Belette et le petit Lapin* (VII, 15) sont d'authentiques fables. De même que *Le Lion, le Loup et le Renard* (VIII, 3), *Le Rat et l'Huître* (VIII, 9), *Les Obsèques de la Lionne* (VIII, 14) ou *L'Âne et le Chien* (VIII, 17).

Examinons par exemple *La Cour du Lion* (VII, 6). Trente-deux vers en composent le récit : le roi Lion dévore l'Ours et le Singe, le premier pour avoir été trop sincère, le second pour avoir été trop flatteur. Quatre vers dégagent la « morale » de l'histoire, en la transposant sur

---

1. Cette démarche est le propre de l'allégorie. Rappelons qu'une allégorie est l'expression d'une idée par un objet, un être ou un animal. Ainsi le renard incarne la ruse, le lion incarne la force, etc.

le plan humain dans le monde des courtisans : pour y vivre, il faut éviter tout excès de langage. La transposition est d'autant plus facile que, comme le suggère déjà le titre de la fable, les animaux sont organisés en société monarchique.

DES RÉCITS ET DES CONTES

Tous les textes que La Fontaine baptise « fables » n'obéissent pas cependant à cette conception ancienne du genre. Même s'il est parfois difficile d'établir des frontières nettes, quelques-uns de ces textes sont plus des récits et des contes que des fables.

Des récits plus que des fables

La présence exclusive des humains modifie si profondément le texte que l'on peut se demander s'il s'agit encore d'une fable, du moins dans son sens traditionnel. L'allégorisme animalier disparaît alors ; et, avec lui, s'évanouit le principe de la transposition de l'animal à l'homme.

Prenons le cas de *La Laitière et le Pot au lait* (VII, 9). Le récit se résume en quelques mots. La « laitière » Perrette bâtit des rêves de plus en plus fous avec l'argent qu'elle escompte tirer de la vente de son lait. Mais la voici qui glisse. Le lait se répand à terre. Elle a fini de rêver. Entre ce récit et la morale, point de transposition, ni d'adaptation. « Quel esprit ne bat la campagne ? », interroge La Fontaine. La conclusion morale s'effectue selon une continuité logique et par élargissement : de la laitière Perrette, on passe à tous les êtres humains.

On n'est plus dans le strict cadre ésopique[1] de la fable. Il est d'ailleurs significatif que *La Laitière et le Pot au lait* ait pour source non une fable d'Ésope ou de Phèdre, mais un bref récit d'un conteur français du XVIe siècle.

Il en va de même de *La Femme mariée* (III, 16), qui raille la prétendue inconstance féminine, ou des *Médecins* (V, 12), qui est une brève

---

1. *Ésopique* : qui a trait à la conception de la fable selon Ésope (un « corps » animalier et une « âme »).

mais rude satire de la profession médicale. Le plaisir de raconter, la vivacité et la drôlerie du récit l'emportent sur l'intention didactique. Bien que ce type très particulier de « fables » se rencontre dans presque chaque livre, il devient plus fréquent dans le second recueil.

En relèvent *Le Curé et le Mort* (VII, 10), *L'Ingratitude et l'Injustice des hommes envers la Fortune* (VII, 13), *La Mort et le Mourant* (VIII, 1), *Démocrite et les Abdéritains* (VIII, 26), *L'Écolier, le Pédant et le Maître d'un jardin* (IX, 5), *Le Trésor et les deux hommes* (IX 16) ou *Les Deux Aventuriers et le Talisman* (X, 13). Ce sont en fait des récits où seul importe l'intérêt narratif, même s'il comporte une morale.

▌Des contes plus que des fables

Du récit au conte, le glissement est aisé. Qu'est-ce en effet qu'un conte ? Un récit d'aventures imaginaires, parfois extraordinaires (dans le cas du conte de fées par exemple) et avant tout destiné à divertir. À la différence de la fable, le conte ne procède pas d'une intention moralisante.

Plusieurs textes des *Fables* sont ainsi des contes. Prenons le cas de *L'Ivrogne et sa Femme* (III, 7). C'est l'histoire d'un mari constamment ivre, que sa femme finit par enfermer dans un « tombeau » pour qu'il cuve à loisir son vin. À moitié dégrisé, le mari s'éveille, se demande s'il rêve ou s'il est déjà mort. Sa femme lui apparaît, déguisée en « fantôme », et lui donne de la nourriture. Et l'alcoolique impénitent de lui réclamer aussitôt à boire ! Certes, il s'agit, pour La Fontaine, de montrer que « chacun a son défaut où toujours il revient ». Mais la « moralité », qui est ici placée en tête de la « fable », est davantage un prétexte au récit que l'inverse. La Fontaine parle d'ailleurs de « conte ».

Autre exemple, *Le Mal marié* (VII, 12) raconte la mésaventure d'un autre mari qui, fatigué de sa femme « querelleuse, avare et jalouse », la renvoie chez sa mère à la campagne. Il la rappelle quelque temps plus tard, avec l'espoir qu'elle aura compris la leçon[1]. Mais l'épouse

---

1. Au XVIIe siècle, le mari a tout pouvoir sur sa femme. L'idée de lui donner une leçon n'avait donc, contrairement à nos jours, rien de choquant.

n'a rien compris ni rien appris. Elle est restée aussi « querelleuse, avare et jalouse » qu'auparavant. Du coup, le mari la congédie définitivement.

Quelle « morale » déduire de cette histoire ? Aucune. Elle n'est pas généralisable. Toutes les épouses n'ont pas mauvais caractère ; tous les maris ne sont pas « mal mariés » ; et tous les « mal mariés » ne répudient pas leur femme. Cette fable ne comporte d'ailleurs pas de « moralité ».

La Laitière et le Pot au lait (VII, 9) illustre du moins une pente naturelle et fréquente chez les humains : celle de faire des projets trop ambitieux. Avec *Le Mal marié* (VII, 2), on passe du récit au conte. L'histoire n'a pas d'autre justification que le plaisir que l'on éprouve à la lire. Elle n'est pas une exception. *Le Savetier et le Financier* (VIII, 2), *Les Femmes et le Secret* (VIII, 6), *Le Rieur et les Poissons* (VIII, 8), *Le Mari, la Femme et le Voleur* (IX, 15), *L'Enfouisseur et son Compère* (X, 4), *Le Vieillard et les trois jeunes Hommes* (XI, 8) sont plus des contes que des fables.

▌Trois contes merveilleux

Le Livre XII accentue la tendance de ce glissement de la fable vers le conte. Trois textes en effet se présentent expressément comme des contes.

Belphégor (XII, 27) raconte l'histoire d'un diable envoyé par Pluton, le maître des Enfers, dans le monde des humains avec mission d'y prendre femme. Ce qu'il fait. Mais ne pouvant s'accoutumer à l'orgueil de sa femme, il préfère retourner aux Enfers plutôt que de continuer à vivre avec elle.

Les Filles de Minée (XII, 28) narre, dans un décor pastoral et mythologique, les amours malheureuses de quatre couples légendaires.

Philémon et Baucis (XII, 25) relate à l'inverse l'histoire d'un couple âgé mais si tendre que Jupiter lui accorda de rester à jamais uni en métamorphosant chacun d'eux en arbre.

Le sujet de ces textes, leur longueur exceptionnelle et l'absence de vraie « moralité » interdisent de les qualifier de fables.

DE LA FABLE AU POÈME

Entre la fable, le récit et le conte existe un point commun : celui d'une histoire racontée. C'est pourquoi La Fontaine peut aisément passer de l'un à l'autre. Les Livres VII à XII contiennent en revanche des textes qui n'entretiennent aucun rapport avec la fable.

Des poèmes philosophiques et scientifiques

Certains se rattachent à la tradition du poème philosophique, inaugurée dès l'époque gréco-romaine. Versifier une doctrine ou un système de pensée était jadis pratique courante. Transposer en vers une philosophie ou un exposé scientifique obligeait d'aller à l'essentiel, en rendait les conclusions plus frappantes et plus faciles à mémoriser, et conférait à l'austérité des sujets un certain agrément littéraire. Dans le *De natura rerum* (« De la nature des choses »), le poète latin Lucrèce expose ainsi la doctrine philosophique d'Épicure[1].

À ce courant ancien de la poésie s'apparentent des textes comme *L'Astrologue qui se laisse tomber dans un puits* (II, 13) et *L'Horoscope* (VIII, 16), qui sont une réfutation argumentée de l'astrologie ; comme *Un animal dans la Lune* (VII, 17), qui traite des problèmes que soulèvent les illusions d'optique ; ou comme *Le Discours à Madame de La Sablière* (fin du Livre IX), qui combat la théorie cartésienne des « animaux-machines[2] ».

Des poèmes d'amour

D'autres « fables » relèvent de la poésie amoureuse. Dédiée à mademoiselle de Sévigné[3], *Le Lion amoureux* (IV, 1) est un poème galant. Écrite pour Melle de Sillery, nièce de l'écrivain moraliste

---

1. Lucrèce (98-55 av. J.-C.), conformément à l'épicurisme, donne une explication matérialiste de l'univers : il affirme en effet ce que découvrira la science moderne, à savoir que toute matière est constituée d'un ensemble d'atomes. L'intensité poétique et la cohérence philosophique de l'œuvre font du *De natura rerum* un sommet de la pensée romaine. Philosophe grec, Épicure a vécu de 341 à 270 avant notre ère.
2. Sur Descartes et sa théorie des « animaux-machines », voir le chapitre 12.
3. Sa mère, madame de Sévigné (1626-1696), a laissé une importante correspondance, qui constitue un tableau spirituel de la société de cour.

La Rochefoucauld[1], *Tircis et Amarante* (VIII, 13) est une églogue. Pratiquée depuis l'Antiquité par Virgile[2], puis, au XVIᵉ siècle, par Ronsard, l'églogue célèbre l'amour dans un cadre champêtre sous la forme d'un dialogue entre deux « bergers ». Tircis s'efforce de convaincre Amarante de l'aimer, parvient à faire dire à la jeune fille qu'elle est amoureuse en effet. Mais c'est aussitôt pour ajouter, au grand désespoir de Tircis, qu'elle aime Clidamant.

La seconde moitié des *Deux Pigeons* (IX, 2) touche à l'élégie, poème lyrique de la plainte amoureuse. La fin du *Songe d'un habitant du Mogol* (XI, 4) quitte le genre de la fable pour embrasser celui de l'ode. Forme poétique propre au lyrisme, l'ode est un chant célébrant soit un héros soit une femme aimée. La Fontaine y dit son amour, non pas d'une femme mais de la solitude. Le sujet de ce chant importe peu en l'occurrence. Le ton du passage renvoie au lyrisme[3].

Les *Fables* marquent ainsi un élargissement du genre où l'on ne reconnaît plus toujours la fable antique. Comme poussé par ses talents de conteur, La Fontaine tend de plus en plus vers le récit et le conte. Le fabuliste ne renonce pas de surcroît à être poète et philosophe. C'est en ce sens qu'on a pu dire à propos : « La fable n'était chez La Fontaine que la forme préférée d'un génie bien plus vaste que ce genre de poésie » (Sainte-Beuve). Avec lui et après lui, la fable prend un visage radicalement différent de celui qu'elle avait avant lui.

---

1. La Rochefoucauld (1613-1680) est principalement l'auteur des *Maximes* (1665).
2. Poète latin, Virgile (70-19 av. J.-C.) recourt au genre de l'églogue dans les *Bucoliques*.
3. Sur le lyrisme des Fables, voir p. 156.

5 | La Fontaine, chantre et défenseur de la nature

La nature ne peut être absente des *Fables*. N'est-elle pas le cadre où vivent les animaux ainsi que, dans l'économie agricole de la France du XVIIᵉ siècle, la plupart des hommes ? Si sa présence demeure discrète dans le premier recueil, elle s'amplifie dans les Livres VII à XII.

La Fontaine la décrit à la manière d'un peintre pointilliste, par une succession de touches rapides et fugitives, mais d'une grande puissance d'évocation. Il l'anime en la personnifiant. Il la considère enfin comme un refuge propice à la méditation et au bonheur.

UNE PEINTURE POINTILLISTE

De même que le classicisme prônait la séparation des genres littéraires[1], de même il pratiquait la séparation des arts en général. La représentation de la nature était traditionnellement le domaine de la peinture. Aussi trouve-t-on rarement chez La Fontaine de vastes panoramas et paysages[2]. Ce sont le plus souvent de brèves notations, relatives principalement à l'eau, aux arbres et aux jardins.

L'eau limpide et sonore

Le poète est le chantre des sources et des rivières. Ses fables miroitent d'« onde pure » et de « clair ruisseau ». L'eau est toute

---

1. Par exemple, une tragédie ne devait pas renfermer de scènes comiques, ou de simple détente. À l'inverse, une comédie ne pouvait pas tendre vers le drame.
2. La retraite champêtre de *Philémon et Baucis* (XII, 25) constitue toutefois une exception. Un paysage y est décrit. Mais il est vrai qu'il s'agit plus d'un conte mythologique que d'une fable.

limpidité. Soit qu'elle s'écoule, comme dans *Le Loup et l'Agneau* (I, 10) :

> Un Agneau se désaltérait
> Dans le courant d'une eau pure[1] ;

Soit qu'elle reste captive :

> Un vivier vous attend, plus clair que fin cristal.
>
> (*Les Poissons et le Berger qui joue de la flûte*, X, 10.)

La transparence de l'eau renvoie tantôt à la vue, tantôt à l'ouïe. Un jeu de sonorités et de sourdines exprime par exemple le contraste entre une rivière et un torrent. La première donne une

> Image d'un sommeil doux, paisible et tranquille

le second tombe des montagnes

> Avec grand bruit et grand fracas.
>
> (*Le Torrent et la Rivière*, VIII, 23.)

Par cette sollicitation des sens, l'évocation de l'eau devient plus suggestive et se fait poésie.

Les arbres et la forêt

Se souvenant sans doute de ses longues promenades dans la forêt champenoise, La Fontaine voue aux arbres une véritable vénération. Ils incarnent la puissance et la beauté ; ils donnent leurs fruits et ils procurent une ombre apaisante. Dans *L'Homme et la Couleuvre* (X, 1), l'arbre est le témoin et la victime de l'ingratitude humaine. La compassion du poète tourne à l'indignation quand il voit l'« innocente » Forêt massacrée par un « misérable ». Certes le « monde » connaît des méfaits et des malheurs plus graves ;

> [...] mais que doux ombrages
> Soient exposés à ces outrages,
> Qui ne se plaindrait là-dessus !
>
> (*La Forêt et le Bûcheron*, XII, 16.)

---

1. Voir aussi pour d'autres exemples II, 12 ; VI, 9 ; VII, 4.

▌Les jardins nourriciers

Les jardins illustrent par excellence le thème de la nature nourricière. C'est le domaine des « fleurs et des fruits », d'une nature cultivée et maîtrisée par l'homme. Ainsi, dans le jardin d'un « amateur », « croissai [ent] à plaisir l'oseille et la laitue » (IV, 4). Au printemps, les « boutons », « douce et frêle espérance », sont les signes

> Avant-coureurs des biens que promet l'abondance.
> (*L'Écolier, le Pédant et le Maître d'un jardin*, IX, 5.)

Dans *Le Philosophe scythe* (XII, 20), un sage trouve son bonheur dans les « beautés d'un jardin », auprès de « ses arbres à fruits ».

L'attachement du fabuliste aux jardins est tel qu'il souffre en les voyant mutilés et saccagés par des ignorants ou des négligents (IX, 5 ; XII, 20). Ces espaces cultivés sont en effet à ses yeux le résultat d'une collaboration harmonieuse entre la nature et l'homme.

LA PERSONNIFICATION DE LA NATURE

La Fontaine ne se contente pas de décrire la nature, il la fait parler et vivre. L'effet est poétique, symbolique et philosophique.

▌Une personnification poétique

Par définition domaine de la fiction et du « mensonge[1] », les fables font des végétaux de véritables personnages, au même titre que les animaux et les humains. Le Buisson exerce un métier et devient un marchand malchanceux (XII, 7). L'Arbre parle et accuse l'homme d'ingratitude (X, 1). Dotée de sentiments, la Forêt « gémit à tous moments » sous les coups de hache des bûcherons (XII, 16).

À l'inverse, les humains se changent parfois en végétaux à qui ils insufflent leur élan vital. S'inspirant d'un poème du Latin Ovide[2], La

---

1. *Mensonge* le mot est de La Fontaine, qui l'emploie pour désigner l'imaginaire, ce qui est inventé par l'homme, par opposition au réel. Pris dans ce sens, le terme de « mensonge » n'a donc rien de péjoratif.

2. Ovide (43 av. J.-C. – 18 ap. J.-C.) est l'auteur d'un recueil de poèmes intitulé les *Métamorphoses*.

Fontaine raconte l'histoire de Philémon et Baucis (XII, 25). Punissant un village pour ses fautes, Jupiter épargne le couple, dont l'amour et la piété l'émeuvent. Pour leur assurer une plus grande longévité, Jupiter métamorphose Baucis, la femme, en « tilleul » et Philémon, le mari, en « Chêne ». Branches enlacées, les deux arbres protègent désormais tous les époux qui viennent se reposer sous leur ombrage.

L'animation de la nature crée de la sorte un univers presque féerique. C'est l'un des éléments de la poésie des *Fables*.

Une signification symbolique

Un symbole consiste à exprimer une idée par une image appropriée, grâce à l'analogie que l'on peut établir entre cette idée et cette image. Chez La Fontaine, la nature remplit souvent un tel rôle. La « Rivière » représente à sa façon les gens paisibles, mais dont il convient pourtant de se méfier, parce qu'on ignore ce dont ils sont capables. Le « Torrent » évoque les gens bruyants, mais souvent pacifiques (*Le Torrent et la Rivière*, VIII, 23). Semblable à l'eau qui dort, le Vivier suggère la fausse sécurité (*Les Poissons et le Cormoran*, X, 3). *Un animal dans la Lune* (VII, 17) développe une amusante anecdote, toutefois lourde de sens. Contemplant la Lune à travers sa lunette astronomique, un savant aperçoit « un animal nouveau ». On débat, on échafaude des hypothèses. On découvre enfin que « c'était une souris cachée entre les verres » de l'appareil. La Souris illustre ici la difficulté d'établir une vérité scientifique.

Une signification philosophique

La personnification de la nature ne relève pas enfin du seul procédé poétique. Elle rejoint et elle exprime une conviction philosophique du fabuliste. Celui-ci précise en effet que la « plante respire » (*Discours à Madame de La Sablière*, fin du Livre IX, v. 177). Il ajoute ailleurs que la Nature « a mis dans chaque créature quelque grain d'une masse où puisent les esprits » (*Discours à Monsieur le duc de La Rochefoucauld*, X, 14, v. 6-7).

Pour La Fontaine, la matière n'est donc pas inerte. Elle possède, fût-ce sous forme rudimentaire, une substance spirituelle, qui participe à ce que le poète appelle l'« âme universelle ». C'est la théorie de l'animisme, qui remonte à la plus haute Antiquité. Selon cette théorie, tout vit et réagit, même les fleurs et les arbres ; tout procède d'un même principe vital. La nature cesse ainsi d'être un simple décor, agréable et varié. Elle s'intègre dans une vision générale de l'univers. Dès lors, sa personnification n'étonne plus. Vivante, elle peut s'apparenter à un être.

UN REFUGE PROPICE AU BONHEUR

Dispensatrice de beauté, de fruits et de leçons, la nature offre à qui sait l'apprécier un cadre propice au bonheur. Elle est source de joie, de méditation et de sagesse.

Les joies de la solitude

Le fabuliste voit dans la solitude une amie. Où mieux la trouver que dans la nature, « loin des cours et des villes » (*Le Songe d'un habitant du Mogol*, XI, 4) ? Le bonheur est à ce prix : dans une retraite paisible, exempte de l'agitation et de l'ambition de la cour. Le follet [1] des *Souhaits* (VII, 5) vit heureux dans le jardin qu'il cultive, de même que le voisin de L'Écolier (*L'Écolier, le Pédant et le Maître d'un jardin*, IX, 5). De ce bonheur, la dernière partie du *Songe d'un habitant du Mogol* (XI, 4) est la parfaite illustration. Dans une longue méditation lyrique [2], La Fontaine énumère les bienfaits que procure la Solitude :

> Elle offre à ses amants des biens sans embarras.
> Biens purs, présents du Ciel qui naissent sous les pas.
>
> (*Le Songe d'un habitant du Mogol*, XI, 4.)

Certes, le confort matériel laisse parfois à désirer. Mais le silence, la douceur de vivre sont d'une incomparable qualité.

---

1. Le *follet* est, dans la mythologie, un « esprit » comparable au lutin.
2. Sur le lyrisme, expression passionnée d'un sentiment, voir le chapitre 19.

L'étude et la méditation

La contemplation de la nature favorise en outre la rêverie, mais une rêverie presque studieuse. Comment, la nuit, ne pas observer les étoiles, ni s'interroger sur « Les noms et les vertus de ces clartés errantes » (XI, 4) ?

L'observation se meut en intérêt scientifique pour « apprendre des cieux »

Les divers mouvements inconnus à nos yeux

(*Le Songe d'un habitant du Mogol*, XI, 4).

Peintre bucolique, La Fontaine trouve par ailleurs son inspiration dans la nature. Sur le ton de la confidence mélancolique, il regrette de ne pouvoir écrire de longs ouvrages. Mais il se satisfait que les « ruisseaux » lui « offrent de doux objets » et que ses vers dépeignent « quelque rive fleurie » (XI, 4).

Un idéal de sagesse

Pareil amour de la retraite au sein de la nature conduit à une forme de sagesse. Celle-ci suppose certes un certain repli sur soi et peut-être une égoïste indolence. Mais, comblée par l'étude et la méditation, la solitude implique une manière de concevoir l'existence. Au regard de la fuite du temps qui emporte tout, l'ambition, la fortune, la gloire et les honneurs paraissent des biens éphémères. À vivre au contraire sans souci, on meurt sans remords.

À ce testament moral et païen qui figure dans le Livre XI, le Livre XII apporte, en 1693, une correction notable. La dernière fable (XII, 29) met en scène deux saints, l'un « Juge arbitre », l'autre « Hospitalier [1] ». Lassés des « plaintes » et des murmures qu'ils entendent sans cesse, ils vont demander conseil à un troisième saint. Ce dernier vit en ermite dans une grotte. Comment vivre heureux ? lui demandent-ils. En se connaissant soi-même, réplique l'ermite, afin de corriger

---

8. Un « Juge arbitre » est un moine juge et un Hospitalier, un moine qui soigne les malades.

ses défauts, de fortifier ses qualités et de mériter le salut de son âme. La tonalité est plus chrétienne que dans *Le Songe d'un habitant du Mogol* (XI, 4). Mais la condition nécessaire à cette connaissance de soi réside dans une retraite paisible, dans la nature et ses « lieux pleins de tranquillité ».

Les fables décrivent en définitive un monde et un idéal pastoraux[1]. Précurseur à sa façon des défenseurs de l'environnement, le poète chante la nature pour, s'il le faut, mieux la défendre contre l'homme.

---

1. *Pastoral* : champêtre.

6 Les droits des animaux et la mise en accusation des hommes

Les fables de l'Antiquité et du Moyen Âge assignaient aux animaux un rôle de précepteur : ils étaient chargés d'instruire les humains. C'était du même coup les réduire à une fonction utilitaire. Les bêtes servaient de prétexte plaisant à la formulation d'une leçon de morale.

La Fontaine poursuit cette tradition en même temps qu'il la renouvelle. Tout en leur conservant leur statut d'éducateur, il les fait accéder à une existence autonome. Compagnons des hommes, les animaux deviennent leurs égaux ; et, pour mieux revendiquer leurs droits, ils mettent les humains en accusation.

Une telle situation pourrait de prime abord s'analyser comme une fiction poétique. Or tel n'est pas le cas chez La Fontaine. Elle correspond à une conviction profonde du fabuliste.

Il ne se contente pas en effet de dire que les animaux ont des droits. Il les justifie, il énumère les reproches des bêtes envers les hommes, avec une réelle force de persuasion.

LA JUSTIFICATION DU DROIT DES ANIMAUX

La Fontaine appuie son argumentation sur une justification philosophique et morale.

Une justification philosophique

La Fontaine ne considère pas les animaux comme de simples mécaniques faites de nerfs et d'organes. Son évolution intellectuelle le porte vers une conception animiste[1] du monde : tout ce qui existe possède une parcelle (plus ou moins grande) d'esprit. *Le Discours à Madame de La Sablière* (fin du Livre IX) s'oppose vigoureusement à la thèse développée par Descartes des « animaux-machines[2] », selon laquelle ceux-ci ne seraient qu'un assemblage de rouages. La Fontaine les dote d'une « âme », certes « imparfaite et grossière », mais d'une âme tout de même, qui les fait participer à la vie universelle.

Le fabuliste leur accorde en conséquence une sensibilité et une certaine forme d'intelligence. S'ils n'en possédaient pas, comment comprendre en effet leurs cris de souffrance ou de joie, leurs capacités d'adaptation ou leurs ruses pour se défendre ?

Comme les humains, les animaux font partie du Vivant et, à ce titre, ils ont droit au respect et à des égards. L'homme devrait d'autant plus les considérer qu'il est lui-même un « animal » (VI, 20).

▌Une justification morale

Les droits des animaux trouvent par ailleurs leur fondement dans l'observation comparée des bêtes et des hommes. Ces derniers n'apparaissent pas toujours à leur avantage. Les hommes se comportent souvent plus mal que les animaux ; et les animaux agissent souvent mieux que les hommes. D'un côté, en effet, La Fontaine observe que :

> De tous les animaux l'homme a le plus de pente
> À se porter dedans l'excès.
>
> (*Rien de trop*, IX, 11.)

D'un autre côté, il admire « le bon sens et l'expérience[3] » des bêtes. Ici un mouvement de dépréciation des hommes, là un effet de réhabilitation des animaux conduisent à suggérer l'idée d'une égalité entre les uns et les autres.

---

1. L'*animisme* est une doctrine philosophique, qui attribue aux choses et aux animaux une âme analogue à l'âme humaine ; voir aussi p. 103.
2. Sur Descartes et sa théorie des « animaux-machines », voir p. 102-103.
3. *Discours à Madame de La Sablière* (fin du Livre IX, v. 135).

LES REPROCHES DES ANIMAUX
ENVERS LES HOMMES

Forts de la dignité nouvelle que leur octroie La Fontaine, les animaux formulent quatre grandes accusations contre l'homme. Ils lui reprochent sa cruauté, son ingratitude, son illogisme et sa fausse supériorité.

Le reproche de cruauté

L'Oiseau blessé d'une flèche (II, 6) souligne le cruel raffinement des chasseurs. Non seulement, ils se servent de flèches pour tuer les oiseaux, mais ces flèches sont « empennées » (munies d'une plume pour qu'elles filent plus vite) ; et l'oiseau s'écrie :

> Cruels humains, vous tirez de nos ailes
> De quoi faire voler ces machines mortelles.
> Mais ne vous moquez point, engeance sans pitié,
> Souvent il vous arrive un sort comme le nôtre.

Dans *Philomèle et Progné* (III, 15), Philomène est métamorphosée en rossignol après avoir été outragée par son beau-frère et se plaint de la violence des hommes. De même, un Cheval déplore que l'homme songe toujours à mettre les animaux en esclavage, même si, en contrepartie, il les nourrit. Car, comme le dit le Cheval,

> Hélas ! que sert la bonne chère
> Quand on n'a pas la liberté ? (IV, 13)

Le reproche d'ingratitude

L'Homme et la Couleuvre (X, 1) taxe l'homme de manquer de reconnaissance. Pour lui avoir donné son lait, la Vache obtient de vieillir « en un coin », « sans herbe » et « attachée » ! Après avoir des années durant tiré la charrue, le Bœuf reçoit « force coups » puis est mis à mort. Comme le constate la Couleuvre,

> [...] le symbole des ingrats
> Ce n'est point le serpent, c'est l'homme.
>
> (*L'Homme et la Couleuvre*, X, 1.)

Le Fermier, quant à lui, « convertit en monnaie » ses volailles. Il en attache même quelques-unes à des crocs de boucher dans sa cuisine (*Le Fermier, le Chien et le Renard*, XI, 3). Le Mouton qui produit généreusement de la laine se voit, comme la Chèvre, voué à l'abattoir (*Le Cochon, la Chèvre et le Mouton*, VIII, 12). Bref, l'homme ne tient jamais compte des services que lui rendent les animaux. Pour tout remerciement, il les tue ou il les abandonne.

Le reproche d'illogisme

Les animaux dénoncent en outre l'incohérence des humains. Le Loup se sait par exemple haï pour sa cruauté. Désireux de se faire aimer, il décide de ne plus attaquer de proie et de devenir végétarien. Mais, en broutant l'herbe d'un pré, il aperçoit des bergers cuisant un agneau à la broche. Le Loup en est scandalisé. Les hommes le taxent d'une cruauté qu'ils pratiquent eux-mêmes ! Où est la logique (*Le Loup et les Bergers*, X, 5) ?

De même, les villageois chassent les chiens errants qui rôdent autour des poulaillers. Ils les traitent de sales bêtes et les tuent parfois. Mais, demande La Fontaine, que font les hommes lorsqu'ils intriguent pour obtenir une faveur, une place, un honneur ? La même chose que des chiens affamés (*Discours à Monsieur le duc de La Rochefoucauld*, X, 14) ! De nouveau, les hommes accusent les animaux de vices dont ils sont eux-mêmes coupables.

La Couleuvre se plaint de partager le triste sort que les hommes réservent aux serpents. On lui explique qu'elle appartient à une engeance dangereuse. Pourtant, les hommes tuent et s'entre-tuent (*L'Homme et la Couleuvre*, X, 1).

La dénonciation de la fausse supériorité des hommes

Les bêtes contestent enfin la supériorité que les humains s'attribuent traditionnellement sur elles. L'incohérence de ces derniers montre en effet qu'ils agissent non par justice et raison, mais par caprice et pour satisfaire leurs désirs.

La raison les offense : ils se mettent en tête
Que tout est né pour eux, quadrupèdes et gens,
Et serpents.

(L'Homme et la Couleuvre, X, 1.)

La fable des *Compagnons d'Ulysse* (XII, 1) va encore plus loin dans ce sens. De retour de la guerre de Troie, les principaux lieutenants d'Ulysse ont été, selon la légende, métamorphosés en bêtes[1]. Une déesse leur permet, s'ils le veulent, de retrouver forme humaine. Ulysse consulte ses amis. Tous refusent. Le Lion, roi de la forêt, ne veut pas redevenir un homme ordinaire. L'Ours se satisfait de son sort. Quant au Loup, il proteste énergiquement :

Tout bien considéré, je te soutiens en somme,
Que scélérat pour scélérat,
Il vaut mieux être un Loup qu'un Homme.

(Les Compagnons d'Ulysse, XII, 1.)

Le refus unanime des « Compagnons d'Ulysse » indique assez que les humains, bien qu'ils croient le contraire, ne bénéficient d'aucune supériorité naturelle sur les animaux. Ils vivent moins heureux et ont autant de défauts, sinon davantage, que les bêtes.

UNE GRANDE FORCE DE PERSUASION

Ces griefs adressés aux hommes prennent d'autant plus de force qu'ils sont formulés dans des contextes dramatiquement forts. Ici, c'est un véritable procès qui est instruit contre l'homme. Là, les hommes témoignent eux-mêmes contre eux. Ailleurs enfin, le fabuliste se transforme en philosophe pour rabaisser la vanité de ses semblables. De degré en degré, l'accusation se fait de plus en plus insistante.

▌Le procès de l'homme

Sur le fond, La Fontaine met l'homme au banc des accusés. Dans la forme, il instruit son procès. *L'Homme et la Couleuvre* (X, 1) voit en

---

1. Homère, poète grec du IXe siècle av. J.-C., a raconté dans l'*Odyssée* le retour mouvementé d'Ulysse chez lui, de Troie à Ithaque.

effet défiler les accusateurs qui prononcent de véritables réquisitoires. La Couleuvre en appelle aux témoignages successifs de la Vache, du Bœuf et même d'un Arbre. L'homme a beau récuser ses juges, il est contraint de les écouter. Lui-même reconnaît le bien-fondé de l'accusation. Mais l'homme ne peut pas supporter l'idée d'être mis ainsi en procès. Aussi tue-t-il la Couleuvre, son principal adversaire. Sa mauvaise foi n'en éclate que mieux. Mais s'il a tort, il lui reste la force. Le recours à la violence fournit toutefois une preuve supplémentaire de sa culpabilité (*L'Homme et la Couleuvre*, X, 1).

La mise en procès des hommes et leur attitude montrent de quel côté va la sympathie de La Fontaine.

▌L'homme contre l'homme

Les Compagnons d'Ulysse (XII, 1) se déroule dans un contexte encore plus défavorable à l'homme et donc plus favorable aux animaux. Ces Grecs changés en bêtes bénéficient en effet d'un double statut : ils réagissent en animaux, mais ils se souviennent de leur ancienne condition. Ils peuvent donc établir une comparaison entre l'état qui fut le leur et celui qu'ils connaissent à présent.

Or on pourrait s'attendre à ce qu'ils souhaitent redevenir au plus tôt des hommes. Mais comme si leur actuelle situation d'animal leur permettait de voir la condition humaine de l'extérieur, ils rejettent tout retour à la vie normale.

Il s'agit bien sûr d'une légende, mais qui n'en revêt pas moins une grande signification. Alors que, par exemple, dans *L'Homme et la Couleuvre* (X, 1), c'étaient les animaux qui protestaient contre l'homme, cette fois ce sont d'anciens humains qui instruisent le procès de l'homme. Un pas supplémentaire est franchi dans la condamnation. Les accusateurs acquièrent une crédibilité plus forte.

▌Le philosophe contre l'homme

La Fontaine emporte enfin la conviction de son lecteur en faisant appel à ce que l'homme possède en principe de plus spécifique : sa raison. Mais il y fait appel pour mieux le convaincre de la dignité des animaux et de l'orgueil des humains. Il retourne donc l'arme de la raison contre l'homme.

Il procède d'abord de manière presque mathématique : « Je vais prouver ce que je dis » (*Discours à Monsieur le duc de La Rochefoucauld*, X, 14). La preuve consiste dans l'identité du comportement des ambitieux et des chiens errants. « Un intérêt de biens, de grandeur, et de gloire » conduit les premiers. « Un intérêt de gueule » guide les seconds. La répétition du mot « intérêt » renforce la similitude des actions.

Ailleurs, La Fontaine construit une argumentation philosophique serrée. Dans le *Discours à Madame de La Sablière* (fin du Livre IX), il donne d'abord la parole à ceux qui contestent que les animaux aient des droits. Mais il ne la leur donne que pour mieux réfuter leurs arguments les uns après les autres[1]. Chez les hommes comme chez les bêtes, conclut-il,

> Un esprit vit en nous, et meut tous nos ressorts.
> (*Discours à Madame de La Sablière*, fin du Livre IX, v. 166.)

Comment cet « esprit » agit-il concrètement ? « Je l'ignore », avoue-t-il loyalement. Mais c'est pour ajouter que personne n'en sait plus que lui. À défaut d'explication, reste donc le constat : les animaux sont des êtres sensibles et, en conséquence, à respecter.

La Fontaine ne se contente pas en définitive d'exposer ses idées et ses théories. En les développant dans des contextes précis et en utilisant les ressources de la rhétorique[2], il s'efforce de les rendre soit plus attrayantes soit plus convaincantes.

---

1. Voir aussi pp. 102-103.
2. La *rhétorique* est l'art de bien parler et de convaincre.

7 | La Fontaine, peintre des animaux

Par tradition, la fable met en scène des animaux. Tout fabuliste doit donc savoir les peindre. De plus, la fable étant un genre bref, leur caractérisation doit être rapide et la plus suggestive possible. La Fontaine se révèle à cet égard un grand peintre animalier. Il a le sens du détail expressif qu'il met au service de la fiction, en imaginant une société animale et l'humanisation des bêtes.

LE SENS DU DÉTAIL EXPRESSIF

Trois procédés reviennent fréquemment dans la manière dont La Fontaine décrit le règne animal : la description générale du physique, du mouvement et des fonctions.

L'aspect physique général

Souvent une formule pittoresque évoque la physionomie, la démarche ou la silhouette de l'animal. L'image s'en impose au lecteur. Voici par exemple « la Cigogne au long bec » (I, 18), un « Bouc des plus hauts encornés » (III, 5), deux ânes qui sont des « coursiers à longues oreilles » (II, 10), « le Héron au long bec emmanché d'un long cou » (VII, 4). La répétition de l'adjectif « long » suggère d'emblée la caractéristique principale du héron, effectivement tout en hauteur.

Le Coq, quant à lui, appartient à « la gent qui porte crête » (VII, 12). Le chat est « bien fourré, gros et gras » (VII, 15). L'Éléphant est une « pesante masse », à « triple étage » (VIII, 15).

Parfois la notation est plus inattendue pour un lecteur moderne. La Tortue est nommée « Portemaison l'Infante » (XII, 15), parce qu'elle porte sa carapace, large comme la robe d'une princesse d'Espagne.

La description du mouvement

Les impressions de mouvement renforcent l'aspect visuel du croquis. Tourmenté par une mouche, le Lion « écume, et son étincelle » (II, 19) ; voici « la Bique allant remplir sa traînante mamelle » (IV, 15) ; le Coq, quant à lui, « aiguisait son bec, battait l'air et ses flancs » (VII, 12), tandis que l'Hirondelle vole gracieusement en « caracolant, frisant l'air et les eaux » (X, 6). Comme le Bœuf qui « vient à pas lents » (X, 1), l'Éléphant a un « marcher un peu lent » (VIII, 15). La Mouche au contraire « s'assied […] sur le nez du Cocher », « va, vient, fait l'empressée » (VII, 8). Le Serpent, lui. est une « rampante bête » (X, 1).

La suggestion des fonctions

Quelques mots suggèrent enfin la fonction principale de l'animal. Le Chat est « l'Attila, le fléau des rats » (III, 18) ; un « vieux Renard » est « un croqueur de poulets » (V, 5). Le Rat se voit qualifié de « Ronge-maille » (VIII, 22 ; XII, 15). Le Faucon est l'« oiseau-chasseur » (VIII, 21). Prédateur, le « peuple Vautour au bec retors, à la tranchante serre » (VII, 7), fend les airs. Le Chat se voit surnommé « grippe-fromage » (VIII, 22). La Pie, sans cesse jacassante, est « Caquet bon-bec » (XII, 1). Les Moutons forment le « peuple bêlant ». L'Araignée est « tapissière » et « filandière » (X, 6).

LA SOCIÉTÉ ANIMALE

La justesse de ces notations n'interdit pas toutefois l'essor de l'imagination. La Fontaine, usant des privilèges de la poésie, organise le monde animal sur le modèle de la société humaine. Il les individualise par une vie de famille et par des liens professionnels et politiques.

L'individualisation des animaux

Certains animaux sont seulement désignés par leur nom générique : le Corbeau, le Renard, le Loup, la Fourmi. D'autres portent, en revanche, des patronymes ou des surnoms. Les uns sont des réminiscences littéraires. Le Chat Raminagrobis (VII, 15) est une allusion à un vieux poète campé par Rabelais[1].

Ailleurs, un autre Chat se nomme « Rodilardus » (II, 2). Un Lapin reçoit le nom de « Maître Jean » (II, 8) ; un Rat, celui de « Ratapon » (IV, 6). Le Cochon est « dom Pourceau » (VIII, 12), comme un moine dont il possède le titre[2]. Le singe s'appelle « Bertrand » (IX, 17).

Pour accentuer leur individualisation, La Fontaine les dote, en outre, d'un état civil. Dans *Le Chat, la Belette et le petit Lapin* (VII, 15), Janot Lapin a hérité d'un logis que lui ont transmis ses aïeux, les lapins Pierre et Simon. Le Singe « Gilles » est « cousin et gendre de Bertrand » (IX, 17). « Laridon » et « César » descendent de leur côté de « chiens fameux » (VIII, 24).

La Fontaine multiplie de la sorte les liens de parenté « Mère Lionne » pleure son fils qu'un chasseur a tué (X, 12). « Mère écrevisse » reproche à sa « Fille » de ne pas marcher droit (XII, 10). La « femme du Lion » meurt, et chacun s'empresse de consoler l'époux attristé (VIII, 14).

Par ces divers procédés, les animaux sortent de l'anonymat pour accéder au statut de personnage littéraire, dont ils revêtent les attributs essentiels. Le lecteur sait qui est qui, et peut mieux se représenter le monde animalier.

▌Des liens professionnels

Comme tout un chacun, les bêtes exercent une activité professionnelle. Un Singe devient « juge » (II, 3), comme le Chat Grippeminaud est un magistrat chevronné, « arbitre expert sur tous les cas » (VII, 15). Un Loup se déguise en « berger » (II, 13) ; un Singe assume les fonctions d'« ambassadeur » (IV, 12). D'autres animaux sont des « médecins » (VIII, 3). Le « Singe avec le Léopard » gagne de « l'argent à la foire » en faisant des tours de prestidigitation (IX, 3). Un « Chien » remplit les fonctions de « portier du logis » (IX, 10).

---

1. Dans le *Tiers Livre* (chap. 21), que Rabelais publia en 1546.

2. « Dom » : mot dérivé du latin *dominus* (maître) utilisé devant le nom des membres de certains ordres religieux (et devant les noms des nobles d'Espagne ou de Portugal).

Le « Milan » pratique le métier moins recommandable de « voleur » (IX, 18). Un Singe est « maître ès arts chez la gent animale » (XI, 5), c'est-à-dire professeur. « Le Buisson, le Canard et la Chauve-souris » ont fondé une entreprise commerciale (XII, 7). Le « peuple Souriquois » recourt à un « avocat » pour défendre sa cause contre les Chats (XII, 8). Un Cheval, parlant du fer de l'un de ses sabots, dit :

Mon Cordonnier l'a mis autour de ma semelle.

(*Le Renard, le Loup et le Cheval*, XII, 17.)

La Fontaine superpose ainsi caractéristiques humaines et spécificité zoologique. Il en découle une plus grande impression de vie et de familiarité. Tout se passe comme si les animaux formaient soudain un univers parallèle à celui des hommes, aussi réel et riche, aussi divers et complexe que le nôtre.

▌Des liens politiques et sociaux

Couronnement suprême de cette animation progressive, les bêtes s'organisent en société dont la structure et le fonctionnement reproduisent ceux de la société française du XVIIe siècle. Elles vivent sous un régime monarchique. Alors que dans le premier recueil des *Fables* (Livres I-VI), le Lion est simplement le personnage le plus puissant de la forêt, il devient, dans le second recueil, un monarque absolu. Il est désormais le « roi Lion », tenant conseil (VII, 1), entouré d'une « Cour » résidant au « Louvre » (VII, 6) et exigeant une stricte obéissance (VIII, 3). Autour de lui se regroupent les Grands, comme le faisaient, autour de Louis XIV, les familles nobles les plus prestigieuses du royaume : ce sont les Tigres, les Ours, le Renard.

Comme dans toute société, des conflits éclatent, que tranche la justice lorsqu'il s'agit de querelles de voisinage ou d'intérêts domestiques (VII, 15 ; IX, 9). Les alliances diplomatiques et militaires sont censées résoudre les conflits internationaux. Le Chat représente le malheureux prince qui va « s'échauder en des provinces pour le profit de quelque roi » (*Le Singe et le Chat*, IX, 17).

L'HUMANISATION DES ANIMAUX

La constitution d'une société animale trouve son prolongement logique et ultime dans l'humanisation des animaux : ils parlent, ils ont un caractère spécifique tout comme les hommes.

▌Le privilège du langage

Ainsi que le note La Fontaine dans l'*Épilogue* du Livre XI,

> [...] tout parle dans l'Univers ;
> Il n'est rien qui n'ait son langage.

Preuve absolue de leur humanisation, les animaux accèdent au langage articulé, selon les règles de la plus parfaite grammaire, privilège jusque-là réservé au monde des humains.

Appliquées à des bêtes ou prononcées par celles-ci, certaines formules prennent dès lors une saveur amusante. La fabuliste joue à plaisir sur les différents sens des mots. Le Geai, qui s'est affublé des plumes d'un Paon, « se panada » (IV, 9) On dirait aujourd'hui « se pavaner ». Le verbe « se panader » rappelle le mot « paon ». Le « caquet » désigne par exemple le cri de la poule qui va pondre et, par extension, un babil (bavardage) importun et indiscret. Appliqué à un Coq qui fait le « coquet » parmi les Poules, le mot crée l'humour[1]. « Le Serpent, en sa langue, s'exprime du mieux qu'il peut » (X, 1) ; et l'ours réplique « à sa manière » (XII, 1).

Il arrive même que les animaux maîtrisent l'écriture, à l'exemple de « sa Majesté la Lionne » qui convoque ses « vassaux » en

> Envoyant de tous les côtés
> Une circulaire écriture[2],
> Avec son sceau.
>
> (*La Cour du Lion*, VII, 6).

---

1. Sur l'humour, voir p. 147.
2. On dirait aujourd'hui une « circulaire ».

Un caractère en harmonie avec l'aspect physique

Dans le même temps, La Fontaine dote les animaux d'un caractère précis, non au gré de sa fantaisie, mais d'après les ressemblances qui peuvent exister entre l'apparence de l'animal et tel type d'homme. Passons sur le Lion : sa force et sa majesté naturelles le vouent traditionnellement à incarner la royauté. En raison de son physique ingrat, l'Ours représente le solitaire mal à l'aise en société. Ne dit-on pas encore aujourd'hui d'un personnage peu sociable que c'est un « ours mal léché » (VIII, 10) ?

La Cigale est une gaspilleuse qui ne pense qu'à s'amuser, la Fourmi est au contraire prévoyante (I, 1). Le Renard est très souvent un flatteur (I, 2) et le symbole de la ruse (I, 18). L'Agneau représente l'innocence (I, 10). La Grenouille est une vaniteuse stupide (I, 3).

La fourrure du Chat évoque l'hermine que portent les magistrats dans l'exercice de leurs fonctions. Lorsqu'il est en outre « gros et gras », il symbolise l'hypocrisie, parce que tels étaient souvent les faux dévots[1], qui affichaient une mine superbe alors qu'ils prétendaient mener une vie austère. Parce qu'elle jase sans cesse, la pie devient une bavarde impénitente (XII, 11).

Parfois, La Fontaine s'interroge sur le bien-fondé de telle ou telle attribution. D'où vient, se demande-t-il, que depuis Ésope[2], le Renard passe pour un maître de la ruse ? « J'en cherche la raison, dit-il, et ne la trouve point » (*Le Loup et le Renard*, XI, 6).

Toujours est-il que le fabuliste applique avant la lettre les principes de la physiognomonie, élaborée au XVIIIe siècle par le philosophe Lavater (1741-1801). La physiognomonie s'efforce de connaître les hommes d'après leurs traits physiques et postule l'existence de correspondances entre les espèces humaines et animales. Tel possède, par exemple, un front bas qui peut rappeler la face d'un bouledogue. La Fontaine utilise ce système. Par son long cou, le Héron impose

---

1. Tartuffe, le type même de l'hypocrite, est lui aussi « gros et gras ».
2. Sur Ésope, voir p. 27.

l'idée d'un port altier. Il incarne l'orgueilleux méprisant (VII, 4). Avec ses « serres », le Vautour se confond avec la cruauté (VII, 7).

Des types humains

La symbolisation de types humains constitue l'ultime étape de l'humanisation des animaux. Le Renard représente ainsi le courtisan et l'hypocrite. Il défend le plaisir du roi (VII, 1) ; prudent, il se garde de lui proposer un quelconque remède contre la vieillesse (VIII, 3) ; cruel, il élimine ses rivaux, en calomniant le loup (VII, 6) ; hypocrite, il justifie son absence à la cour par un pseudo pèlerinage fait pour la santé du roi (VIII, 3).

Le plus souvent, le Loup incarne le noble puissant et cruel[1], le « grand seigneur méchant homme », comme dit Sganarelle à propos de la cruauté de Dom Juan. L'Âne, au contraire, campe le misérable face aux grands (VII, 1) et, parfois, l'ambitieux (XI, 5), précisément parce qu'il ne possède rien. Le Rat symbolise le tempérament français, avec sa « sotte vanité », sa ténacité et son besoin de faire l'important (VIII, 15), mais il évoque aussi le moine égoïste et jouisseur (VII, 3).

À chaque animal dépeint correspond un caractère, individuel ou collectif. C'est par ce biais que les fables peuvent devenir une satire sociale. (Voir ci-dessous, pp. 89-90.)

En définitive, La Fontaine réussit l'exploit de peindre les animaux pour eux-mêmes et pour ce qu'ils peuvent signifier. C'est l'art du fabuliste d'en faire à la fois des personnages individualisés et symboliques. L'attrait des fables s'en trouve accru.

---

1. Dans *Les Compagnons d'Ulysse* (XII, 1), le loup se fait toutefois philosophe et répond que l'homme étant un loup pour l'homme, « il vaut mieux être un loup qu'un homme. »

8 | La non-invitation au voyage

L'attitude de La Fontaine à l'égard des voyages est paradoxale. L'infatigable promeneur qu'il fut ne les aime pas. Passionné par les récits des grands voyageurs, fasciné par l'exotisme, notamment oriental[1], il ne cesse de les condamner. Une seule de ses fables en vante les avantages et les bienfaits : c'est celle de *L'Hirondelle et les petits Oiseaux* (I, 8), dans laquelle une hirondelle « avait beaucoup appris » « en ses voyages ». Mais partout ailleurs le fabuliste ne cesse de discréditer les voyages.

C'est qu'ils lui apparaissent comme une sottise. En fait ce sont moins les voyages que les raisons qui poussent à voyager que La Fontaine condamne, au nom d'une certaine sagesse.

LA SOTTISE DES VOYAGES

Avec une implacable progression logique, La Fontaine discrédite le voyageur et dénonce les dangers et l'inutilité des voyages.

Le voyageur discrédité

L'envie de voyager s'apparente à une forme de folie. Le rat qui part découvrir la campagne possède « peu de cervelle » (*Le Rat et l'Huître*, VIII, 9). Le Pigeon qui déserte le logis conjugal

> Fut assez fou pour entreprendre
> Un voyage en lointain pays.

(Les Deux Pigeons, IX, 2.)

La Tortue qui, « lasse de son trou », veut « voir le pays », a « la tête légère » (*La Tortue et les deux Canards*, X, 2). Les deux Chèvres

---

1. Sur l'Orient, voir p. 78.

découvrant des pâturages plus tranquilles confondent caprice et liberté, et manifestent une totale inconscience (*Les Deux Chèvres*, XII, 4).

Jamais le voyageur n'est dépeint sous des couleurs sympathiques ou bienveillantes. Un adjectif ou un commentaire du fabuliste le discrédite d'emblée. Le Singe qui fait naufrage près d'Athènes est stupide et menteur. Il tente de faire croire à un dauphin que Le Pirée (nom du port d'Athènes) est un membre de sa famille (IV, 7) ! L'envie de découvrir le monde, de se dépayser ou de s'installer ailleurs est présentée comme néfaste ou mauvaise.

Les dangers du voyage

C'est que, dans les fables, il n'y a pas de voyage heureux ou paisible. Les unes après les autres, toutes insistent sur les mille et un dangers des voyages.

S'agit-il d'une traversée maritime ? Il faut affronter les tempêtes, les bancs de rochers, et même les pirates (*L'Homme qui court après la Fortune et l'Homme qui l'attend dans son lit*, VII, 11 ; *L'Ingratitude et l'Injustice des hommes envers la Fortune*, VII, 13). Ce n'est que par miracle que « quatre chercheurs de nouveaux mondes » échappent à « la fureur des ondes » (*Le Marchand, le Gentilhomme, le Pâtre et le Fils de roi*, X, 15 ; même constat dans la fable 7 du Livre XII).

Les voyages terrestres ou aériens ne sont pas plus rassurants. Le voyageur de *Phébus et Borée* (VI, 3) lutte avec peine contre une bourrasque de vent. Le malheureux Pigeon qui s'envole au loin affronte successivement un orage, des chasseurs, un vautour, le lance-pierres d'un enfant (*Les Deux Pigeons*, IX, 2). Quant au Rat écervelé, il est pris au piège d'une huître qui se referme sur lui (*Le Rat et l'Huître*, VIII, 9).

L'intitulé des voyages

On comprend dans ces conditions que courir tant de risques ne soit guère raisonnable. Le voyage l'est d'autant moins que, lorsqu'on a la chance d'en revenir, on s'aperçoit qu'il n'a servi à rien de partir.

L'homme qui a couru en vain après la fortune « pleure de joie » à l'idée de revenir chez lui ; et il constate :

> […] Heureux qui vit chez soi ;
> De régler ses désirs faisant tout son emploi.
>
> *(L'Homme qui court après la Fortune*
> *et l'Homme qui l'attend dans son lit*, VII, 11.)

Blessé et meurtri, le Pigeon se réjouit de retrouver son logis (*Les Deux Pigeons*, IX, 2).

En outre, les voyages ne forment ni n'enrichissent l'esprit. Voici la Tortue, avide de découvrir les « différentes mœurs » des peuples d'Amérique. Non seulement elle n'apprend rien, mais elle perd la vie (*La Tortue et les deux Canards*, X, 2). Le Rat est si stupide qu'il prend la moindre motte de terre pour une chaîne de montagnes et des huîtres pour des « vaisseaux de haut bord » (*Le Rat et l'Huître*, VIII, 9). Aucun voyageur campé dans les fables ne tire en définitive profit de ses découvertes.

UNE CONDAMNATION MORALE
DES VOYAGES

La position de La Fontaine a de quoi surprendre. Si lui-même n'a guère voyagé[1], nombre de ses contemporains voyageaient beaucoup et loin. À la fin du XVIIe siècle, la mode était même aux grandes expéditions[2].

En réalité, La Fontaine adopte le point de vue d'un moraliste. Il condamne moins les voyages en général que certains d'entre eux ; et moins les voyages que les raisons qui poussent les hommes à partir.

▌La condamnation des voyageurs cupides

Les voyageurs de La Fontaine ne sont pas des touristes ordinaires. Ils veulent souvent faire fortune. Toutes les fables, sans

---

1. Le seul grand voyage que La Fontaine ait effectué fut d'aller de Paris à Limoges.
2. Voir p. 71.

exception, qui évoquent les voyages maritimes, mettent en scène des « trafiquants », comme on disait à l'époque, c'est-à-dire des armateurs commerçant avec les Indes et l'Orient[1].

L'appât du gain les motive. C'est prendre des risques insensés et faire preuve de peu de sagesse :

> Aux conseils de la Mer et de l'Ambition
> Nous devons fermer les oreilles.
> Pour un qui s'en louera, dix mille s'en plaindront.
> La Mer promet monts et merveilles ;
> Fiez-vous-y, les vents et les voleurs viendront.
>
> (*Le Berger et la Mer*, IV, 2.)

« Le luxe et la folie » gonflent le « trésor » de l'un (*L'Ingratitude et l'Injustice des hommes envers la Fortune*, VII, 13). Le désir de faire « fortune » pousse un autre à explorer le « pays » imaginaire des « romans » (*Les Deux Aventuriers et le Talisman*, X, 13). D'autres encore constatant qu'ils ne s'enrichissent pas assez dans leur propre pays,

> Vont trafiquer au loin, et font bourse commune.
>
> (*La Chauve-Souris, le Buisson et le Canard*, XII, 7.)

Les risques des traversées, sur lesquels insiste tant La Fontaine, prennent dans ces conditions une signification morale. Les naufrages deviennent punition. Malheur aux cupides ! Leur vice fera leur perte.

La condamnation de l'ennui

Lorsqu'il n'est pas dicté par la soif de s'enrichir, le voyage l'est par incapacité de trouver le bonheur chez soi et de s'en contenter. Le Rat quitte son champ pour échapper à la monotonie de son existence (*Le Rat et l'Huître*, VIII, 9). Le Pigeon s'ennuie dans son logis où il est pourtant heureux. Son compagnon s'efforce en vain de le retenir. L'attrait de la nouveauté l'emporte (*Les Deux Pigeons*, IX 2). Une humeur aventurière entraîne pareillement les chèvres (*Les Deux Chèvres*, XII, 4)

---

1. Voir p. 78.

Voilà qui relève pour La Fontaine d'une misère morale. La curiosité de l'ailleurs cache toujours une insatisfaction et une impossibilité de s'accepter. Il est significatif que *La Tortue et les deux Canards* (X, 2) réunit dans une même association l'« imprudence », le « babil », la « sotte vanité » et la « vaine curiosité ». Si, selon le proverbe, l'oisiveté est mère de tous les vices, le goût du voyage, d'après le fabuliste, est père de tous les défauts.

La condamnation métaphorique de l'ambition

Le voyage est souvent dans les fables une métaphore[1] de l'existence. Entre la naissance et la mort, la vie est une aventure et un voyage. La Cour devient une « mer » parce que les intrigues et les disgrâces y sont aussi dangereuses que les orages et les naufrages (*L'Homme qui court après la Fortune et L'Homme qui l'attend dans son lit*, VII, 11). Ne dit-on pas d'un ambitieux qu'il veut « aller loin » ? L'expression s'applique autant aux voyages qu'à la traversée de l'existence. Dans l'un et l'autre cas, les longues pérégrinations s'avèrent évidemment les plus périlleuses.

Aussi La Fontaine condamne-t-il à plusieurs reprises l'ambition qui pousse à courir le monde. Il regrette que :

> […] rien ne remplit
> Les vastes appétits d'un faiseur de conquêtes.
>
> (*Le Loup et le Chasseur*, VIII, 27.)

Il rappelle qu' :

> Aucun chemin de fleurs ne conduit à la gloire.
>
> (*Les Deux Aventuriers et le Talisman*, X, 13.)

Mille tourments attendent l'ambitieux, et souvent pour rien. Il peut poursuivre « jusqu'au bout du monde » les « biens » et les « dignités », l'« effet » ne répond jamais aux « promesses » (*L'Homme qui court après la Fortune et L'Homme qui l'attend dans son lit*, VII, 11).

---

1. Une *métaphore* est une comparaison dont on a supprimé le terme grammatical qui introduit la comparaison. Ici, la vie est (comme) un voyage.

L'EXPRESSION D'UNE SAGESSE

La non-invitation au voyage repose en définitive non sur le refus du voyage en lui-même, mais sur le rejet des raisons qui incitent au départ. Toutes paraissent suspectes et répréhensibles au fabuliste. De leur condamnation émane ainsi une forme de sagesse. Aux dangers des voyages, La Fontaine oppose les charmes de la retraite ; et aux précipitations aventureuses, une leçon de bonheur.

L'amour de la retraite

Dans l'Antiquité, le repos était considéré comme un « trésor si précieux » que les Anciens en faisaient le privilège exclusif des dieux. La Fontaine partage leur avis (VII, 11). Les voyageurs de ses fables, quand ils ont la chance de revenir de leurs périples, savourent leur bonheur retrouvé. Vivre chez soi procure peu de soucis. Agir à sa guise constitue une liberté plus grande que celle de courir le monde (*Les Compagnons d'Ulysse*, XII, 1).

Testament moral de La Fontaine, l'ultime fable du Livre XII (*Le Juge arbitre, l'Hospitalier et le Solitaire*, XII, 29) est un éloge de la vie paisible et solitaire. Heureux qui sait rester chez soi près d'un ruisseau apaisant !

Une leçon de bonheur

Cet amour de la retraite ne paraît guère enthousiasmant. Il implique en effet la modération de ses désirs et passions, le mépris de l'argent et des honneurs, l'acceptation de ce que l'on est avec ses qualités et ses défauts. Mais, en contrepartie, le bonheur devient possible et comme à portée de main. À quoi sert en effet de parcourir le monde si c'est pour se précipiter au-devant d'une catastrophe ? Le voyageur croit-il que le temps passera moins vite ? Imagine-t-il que la mort ne le rattrapera pas dans sa course ? La découverte de nouveaux horizons est-elle un plaisir supérieur à la tranquillité, au fait de savourer le temps qui passe ? Le voyageur agit comme s'il remettait le bonheur à plus tard, à son retour à la prochaine escale.

L'homme, sourd à ma voix comme à celle du sage
Ne dira-t-il jamais : « C'est assez, jouissons » ?

(*Le Loup et le Chasseur*, VIII, 27.)

Ce faisant, La Fontaine se rallie à l'idéal épicurien[1], qui trouve dans le repos l'équilibre et le calme de l'âme. Le vrai bonheur ne réside ni dans l'agitation incessante ni dans de lointaines expéditions.

Le voyage au cœur de l'esprit

Il est en revanche des voyages immobiles, infiniment précieux. L'observation de la nature ou des étoiles emporte l'esprit sur des chemins fascinants et extraordinaires. La retraite ne saurait être synonyme d'oisiveté. La science est une aventure et l'étude, un voyage intérieur quand nous apprenons par exemple des « Cieux »

Les divers mouvements inconnus à nos yeux.

(*Le Songe d'un habitant du Mogol*, XI, 4.)

Il suffit de lever la tête pour voyager.

Quant à l'amour, il est le plus beau des voyages. L'autre vaut tous les ailleurs ; l'aimé(e) est une découverte perpétuelle :

Amants, heureux amants, voulez-vous voyager ?
Que ce soit aux rives prochaines ;
Soyez-vous l'un à l'autre un monde toujours beau
Toujours divers, toujours nouveau.

(*Les Deux Pigeons*, IX, 2.)

On ne saurait rêver de plus magnifique invitation au voyage.

Au XIXᵉ siècle, Baudelaire (1821-1867) intitulera un poème de ses *Fleurs du mal* (1857) « L'Invitation au voyage ». À ne se fier qu'au titre, l'attitude de Baudelaire semble à l'opposé de celle de La Fontaine qui cherche, lui, à dissuader de voyager. Ce n'est toutefois qu'une apparence. Baudelaire invite en effet son lecteur à un voyage immobile où seuls l'âme et l'esprit vagabondent. Les deux poètes se rejoignent en réalité dans une même conviction. Le seul voyage qui importe est non géographique, mais spirituel, sentimental ou intellectuel.

---

1. Du nom d'Épicure, philosophe grec du IVᵉ siècle avant notre ère, qui plaçait le bonheur dans des plaisirs très simples.

9 L'Orient et le merveilleux

Si les Livres I à VI des *Fables* parlent fort peu de l'Orient, les Livres VII à XII lui accordent en revanche une place notable.

Les raisons en sont multiples. Certaines sont d'ordre général : l'Orient est à la mode dans le dernier quart du XVIIᵉ siècle[1]. D'autres sont propres au fabuliste. Dans le salon de Madame de La Sablière, La Fontaine rencontre de grands voyageurs qui ont séjourné en Orient[2]. Le récit de leurs pérégrinations et de leur expérience le passionne. Mystérieux et lointain, l'Orient le fait rêver. Enfin l'Orient n'ignorait pas le genre de la fable. L'Indien Pilpay l'avait pratiqué. Une traduction française de ses fables avait été établie en 1644. La Fontaine s'y réfère explicitement dans l'*Avertissement* qui précède le Livre VII.

L'Orient apporte une tonalité nouvelle au second recueil, provoque un dépaysement certain et modifie le genre de la fable en l'infléchissant vers le conte.

UNE SOURCE DE RENOUVELLEMENT

La Fontaine puise dans le thème oriental un renouvellement de son inspiration. Lui-même ne s'en cache d'ailleurs pas. L'Avertissement précise que la couleur orientale du second recueil en constitue l'une des originalités. Celle-ci lui permet en effet d'enrichir son bestiaire[3] et ses personnages, ainsi que ses thèmes.

---

1. Il l'est à divers titres : commercial, par la création de lignes maritimes ; politique, par la guerre, en 1667 entre la France et la Turquie puis par la somptueuse réception de l'ambassadeur de l'empire ottoman à Versailles ; et culturel, comme l'attestent la tragédie de *Bajazet* (1672) de Racine et, sur un autre registre, la comédie de Molière, *Le Bourgeois gentilhomme* (1670) où M. Jourdain se métamorphose en « mamamouchi » bouffon.
2. Tels Bernier et le chevalier Chardin (voir p. 101).
3. Un *bestiaire* désigne l'ensemble des bêtes que campe un fabuliste.

L'enrichissement du bestiaire et des personnages

Si vaste soit-il, le bestiaire des *Fables* n'est pas illimité. Le retour des mêmes animaux d'une fable et d'un livre à l'autre le prouve amplement : le Rat, le Loup, le Renard, le Chien, le Lion sont des personnages récurrents. La faune orientale apporte, en plus de sa note exotique, des spécimens plus inattendus, en tout cas moins connus du lecteur français du XVIIe siècle. Le Tigre (VII, 1), l'Éléphant (VIII, 15), le Léopard (IX, 3), le Cormoran (X, 3), la Gazelle (XII, 15), le Rhinocéros (XII, 21) font leur apparition, ainsi que les boubaks[1] (*Discours à Madame de La Sablière*, fin du Livre IX).

Leur évocation dépayse et, souvent, amuse. L'Éléphant est ainsi vu à travers le regard d'un « Rat des plus petits » comme un « animal à triple étage » (VIII, 15). Le Léopard fait admirer sa peau « pleine de taches, marquetée » (IX, 3). Leur description est d'autant plus succincte que les livres des Fables comportaient des illustrations lors de leurs premières publications. L'image suppléait à la brièveté du trait. L'effet n'en était que renforcé : cet exotisme charmait.

Le renouvellement concerne également le personnel non animalier de la fable, qui s'ouvre aux figures mythologiques de l'Orient. Dans *Le Dragon à plusieurs têtes et le Dragon à plusieurs queues* (I, 12) apparaît un « Chaioux », c'est-à-dire un officier de la cour de l'Empire ottoman (turc). Un « follet[2] » et des bons génies sont les héros des *Souhaits* (VII, 5). Dans un pays lointain, deux « aventuriers » découvrent un « talisman » (X 13) ; ou bien ce sont des dignitaires orientaux qui envahissent l'univers des fables. L'une d'elles met en scène un « bassa », c'est-à-dire un gouverneur de province turc (VIII, 18) ; une autre, un « habitant du Mogol », pays désignant les Indes ou, comme on disait alors, l'empire du Grand Mogol (XI, 4). Dans tous les cas, ces références agrandissaient l'horizon.

---

1. Un *boubak* est une sorte de renard.
2. *Follet* : sorte de lutin, vif et gracieux.

▍L'enrichissement des thèmes

À personnage nouveau, situation nouvelle. L'Orient suscite des sujets de réflexion spécifiques. Il constitue un ailleurs si lointain qu'il devient le lieu de tous les possibles et, plus particulièrement, de l'intrusion du surnaturel dans le réel. Par tradition culturelle, l'Orient passait en effet pour plus ésotérique[1] que l'Occident. Ses sages étaient réputés. Ainsi,

> [...] certain Mogol vit en songe un Vizir
> Aux Champs Élysiens possesseur d'un plaisir
> Aussi pur qu'infini, tant en prix qu'en durée[2].
>
> (*Le Songe d'un habitant du Mogol*, XI, 4.)

Les *Souhaits* (VII, 5) ont de leur côté des esprits comme personnages principaux.

La création par Colbert de la Compagnie des Indes en 1663[3] associe l'Orient au commerce maritime. « Trafiquants » et aventuriers, mus par le désir de s'enrichir, partent pour ces contrées de l'autre bout du monde ou en reviennent (VII, 11 ; VIII, 18 ; X, 13). Le thème de la mer, des périls de la navigation et de l'ambition cupide[4] en découlent tout naturellement.

UNE SOURCE DE DÉPAYSEMENT

Sujet d'actualité, l'Orient n'en demeure pas moins mal connu du grand public français du xviie siècle. Le mot reste nimbé de mystère et, par là même, séduit l'imagination. Il devient propice à la rêverie poétique.

▍La poésie des noms

La Fontaine n'était pas géographe. Son Orient reste imprécis, parfois fictif. Mais en poète, La Fontaine connaît le pouvoir évocateur et

---

1. *Ésotérique* : initié à des doctrines permettant d'accéder au surnaturel.
2. *Champs Élysiens* ou *Champs Élyséens* : le paradis dans la mythologie grecque.
3. Voir p. 78.
4. Voir p. 78.

magique des noms de villes ou de pays sur lesquels l'imagination peut aisément voguer :

> La Fortune a, dit-on, des temples à Surate…
>
> (*L'Homme qui court après la Fortune,*
> *et l'Homme qui l'attend dans son lit*, VII, 11.)

Sur la côte ouest de l'Inde, Surate était depuis 1669 un comptoir français[1]. La déification de la Fortune, avec ses « temples », donne à Surate une dimension à la fois réelle et imaginaire. La ville tant rêvée par les « trafiquants » devient ville de rêve. Qui ne souhaiterait de même résider au « Monomotapa » (VIII, 11) ? Peu importe que le lecteur sache que le Monomotapa était un empire de l'Afrique australe. Avec ses cinq syllabes qui l'étirent et l'agrandissent, et ses deux sonorités, assourdies (en o) puis claires (en a), le mot semble désigner un pays chimérique, immense et accueillant comme un beau songe. Voici encore le « pays des Romans » (X, 13) plein de « vieux Talismans » que traverse parfois un « Chevalier errant » en quête d'un « Éléphant de pierre ». L'Orient est moins décrit pour lui-même que nommé pour sa puissance de suggestion.

▌Des fables aux dimensions de l'univers

La mention de l'Orient sort enfin la fable de son cadre ordinaire, qui est souvent une forêt, un champ, une ferme ou une ville, lieux si banals qu'ils ne sont même pas désignés de manière précise. La Fontaine peut désormais jouer avec les distances et enfermer l'univers entier dans ses fables. Le lecteur parcourt soudain le monde en pensée.

> L'homme arrive au Mogol ; on lui dit qu'au Japon
> La Fortune pour lois distribuait ses grâces.
> Il y court […]
>
> (*L'Homme qui court après la Fortune,*
> *et l'Homme qui l'attend dans son lit*, VII, 11.)

Nous « courons » avec lui, par la magie du rêve. Pour ce qui est du « follet » de Mogol,

---

1. *Comptoir* : au sens d'installation commerciale dans un pays éloigné.

Ordre lui vient d'aller au fond de la Norvège.

(*Les Souhaits*, VII, 5.)

Dans une autre fable « quatre chercheurs de nouveaux mondes » (X, 15) surgissent dès le premier vers. L'imprécision géographique, le recours au pluriel, suggèrent l'existence de régions inconnues, dans lesquelles un « aventurier » parfois :

Rencontre une esplanade, et puis une cité.
Un cri par l'Éléphant est aussitôt jeté.

(*Les Deux Aventuriers et le Talisman*, X, 13.)

Le récit se colore de romanesque et de splendeurs. Une fable entière ou quelques vers élargissent ainsi la vision.

LA FABLE ET LE CONTE

Entre la fable et le conte a toujours existé une étroite parenté. Les deux genres sont des récits. La Fontaine est lui-même venu à la fable par le conte, en publiant dès 1665 des *Contes et Nouvelles en vers*. Le Livre XII des *Fables* contient d'ailleurs deux contes mythologiques (*Daphnis et Alcimadure*, XII, 24 et *Philémon et Baucis*, XII, 25). De son côté, depuis *Les Contes des Mille et une Nuits*, l'Orient était globalement considéré comme l'un des berceaux du conte. Aussi n'est-il pas étonnant que, pour toutes ces raisons, les fables orientales présentent une tonalité particulière. Elles se rapprochent du conte, pour mieux dessiner un idéal de perfection.

Des fables voisines du conte de fées

« Il était une fois » : chacun connaît la formule par laquelle débutent les contes de fées. Rituels, ces quatre mots ont valeur de signal. Ils préviennent le lecteur de son entrée dans un univers où l'impossible devient possible, où le merveilleux se déploie. Les êtres, les lois, physiques ou humaines, les objets, tout devient autre. S'ouvre le royaume de la fiction.

Il en va presque de même dans les fables orientales. Leur début paraphrase la formule du conte de fées :

Il est au Mogol des follets.

(Les Souhaits, VII, 5.)

À l'imparfait près, c'est le même signal grammatical et linguistique. La fable Les Deux amis (VIII, 11) en offre une variante très proche :

Deux vrais amis vivaient au Monomotapa.

Le retour à un passé vague et très ancien aboutit au même résultat que celui produit par « Il était une fois ».

▌Le séjour de la perfection

Cette sorte de fable conte fonctionne comme une utopie[1]. À pays merveilleux, vie merveilleuse. Où en effet placer l'idéal, sinon dans un ailleurs indéfini ? Les Deux Amis (VIII, 11) célèbre la plus parfaite des amitiés. Un homme voit en songe son ami « un peu triste ». Aussitôt il se lève, court en hâte chez lui, le réveille. L'autre s'étonne : a-t-il besoin de quelque chose ? Si tel est le cas, le voici prêt à l'aider. L'homme avoue qu'il ne pouvait supporter la pensée de seulement le savoir triste. Une telle amitié ne peut sans doute exister que dans un conte.

Qui en ferait autant ? Le bonheur du paradis récompense un « Vizir » qui, de son vivant, « cherchait la solitude » (XI, 4).

À aucun moment, l'orientalisme des fables n'est donc gratuit. La Fontaine en tire à la fois des effets poétiques et des leçons de sagesse. Parce qu'il se confond avec l'inaccessible, l'orientalisme devient synonyme d'évasion et de méditation. Il est, dans tous les sens du terme, un appel au rêve et à la vertu.

---

1. L'utopie désigne originellement une île imaginaire, où tout est parfait, et, par extension, une illusion généreuse.

10 | La satire sociale

Que ce soit directement dans ses fables à personnages humains ou indirectement sous le couvert d'animaux, La Fontaine dépeint la société de son temps. Les classes privilégiées, dont il fustige les défauts et les vices, sont en priorité visées. L'examen des seuls thèmes de la satire ne saurait toutefois suffire. Les procédés utilisés comptent autant que les cibles retenues. Il conviendra enfin de s'interroger sur la portée générale des critiques formulées.

LA SATIRE DES CLASSES PRIVILÉGIÉES

Plutôt bienveillant envers le peuple, La Fontaine l'est beaucoup moins à l'égard des milieux aisés. Ses griefs les plus rudes s'adressent aux courtisans, à la noblesse, à la bourgeoisie d'affaires et aux hommes d'Église.

Les courtisans

La Cour est un monde à part, où se pressent des « mouches », c'est-à-dire des espions (IV, 3). C'est un « pays » (*Les Obsèques de la Lionne*, VIII, 14, v. 17), où les courtisans vivent séparés du reste du royaume, avec leurs propres lois et mœurs.

Dans ce « pays », « les gens sont de simples ressorts » (v. 23), sans personnalité ni caractère. Pour plaire au roi, ils l'imitent en tout. Aussi forment-ils un :

> Peuple caméléon, peuple singe du maître.
>
> (*Les Obsèques de la Lionne*, VIII, 14, v. 21.)

Ce sont des mécaniques humaines, se comportant comme des automates. Ils sont :

Tristes, gais, prêts à tout, à tout indifférents (VIII, 14, v. 18).

La quête des faveurs instaure, en outre, la loi de la jungle. La fin justifie les moyens, et tous les moyens sont bons. Mouchards et dénonciateurs prospèrent. Ici, le Loup dénonce au lion l'absence du Renard à la Cour. Il en mourra (*Le Lion, le Loup et le Renard*, VIII, 3). Là, un « flatteur » s'empresse de rapporter au lion que le Cerf ne pleure pas la reine défunte. Le Cerf n'aura la vie sauve que grâce à ses talents exceptionnels de flatteur (*Les Obsèques de la Lionne*, VIII, 14). Ailleurs, le Singe se réjouit de la mort de l'Ours, coupable d'avoir été trop sincère (*La Cour du Lion*, VII, 6). Partout, on ne songe qu'à se « détruire ».

La cruauté de la vie de Cour revient ainsi comme un leitmotiv dans *Les Animaux malades de la peste* (VII, 1), *Les Devineresses* (VII, 14), le *Discours à Monsieur le duc de La Rochefoucauld* (X ,14) et *L'Amour et la Folie* (XII, 14).

La noblesse

Quand ils ne fréquentent pas la Cour, les nobles ne sont pas pour autant exempts de tout reproche. La Fontaine condamne leur oisiveté et leur inutilité sociale (*Les Membres et l'Estomac*, III, 2). Ils ressemblent à des « masques de théâtre » : seule leur apparence en impose ; ils sont en réalité vaniteux et sans consistance. Comme dit le Renard : « Belle tête, mais de cervelle point » (*Le Renard et le Buste*, IV, 14). *Le Marchand, le Gentilhomme, le Pâtre et le Fils de roi* (X, 15), ayant fait naufrage, doivent chercher à subsister. Or que propose le gentilhomme ? D'enseigner le « blason[1] » ! Voilà qui prouve son manque d'esprit pratique.

Menant grand train, les grands seigneurs ont d'énormes dettes, qu'ils ne remboursent jamais ou, lorsqu'ils y sont contraints, le plus tard possible. Malicieusement, le poète affirme en connaître un qui tous les jours se sauve par un escalier dérobé (XII, 7).

---

1. Le *blason* désigne l'emblème qu'une famille noble s'est choisi pour signe distinctif. Par exemple : un animal, des armes, une fleur.

Plus grave, la noblesse se soucie peu de former et de bien élever ses enfants. Fier de son nom prestigieux, le chien « César » dédaigne toute éducation, au contraire du chien « Laridon ». Le premier dégénère, tandis que le second s'épanouit (*L'Éducation*, VIII, 24).

La bourgeoisie d'affaires

La satire de la bourgeoisie est tout aussi véhémente. Les fables en raillent les représentants les plus en vue.

Ce sont d'abord les financiers. *Le Savetier et le Financier* (VIII, 2) en campe un. Entre la crainte des voleurs et les soucis que lui cause la gestion de sa fortune, le financier en perd le sommeil. Il ne comprend pas que son voisin, le « savetier », vive heureux au jour le jour sans se préoccuper de ce qu'il possédera à la fin du mois.

Les « marchands », ou « trafiquants » comme on disait à l'époque, apparaissent dans cinq fables (VII, 13 ; VIII, 18 ; IX, 1 ; IX, 15 ; XII, 28). La Fontaine se moque de leur absence de sagesse, surtout chez ceux qui pratiquent le commerce maritime et qui affrètent des bateaux vers l'Orient et les Indes. Certes, ils s'enrichissent, mais que de dangers et d'inquiétudes ils encourent ! Il leur faut se méfier d'associés peu scrupuleux. Si le vaisseau est mal équipé ou si les corsaires l'attaquent ou si les marchandises se vendent mal, les voilà ruinés (*L'Ingratitude et l'Injustice des hommes envers la Fortune*, VII, 13). Parfois, ils doivent acheter la protection des autorités, comme ce Grec obligé de payer cher le gouverneur d'une province turque (*Le Bassa et le Marchand,* VIII, 18).

Le réquisitoire contre les médecins est plus traditionnel. Comme Molière, La Fontaine leur reproche leur incompétence. Ainsi :

> Le Médecin Tant-Pis allait voir un malade
> Que visitait aussi son confrère Tant-Mieux.
>
> (*Les Médecins*, V, 12.)

Le malade meurt. Mais les deux médecins restent persuadés du bien-fondé de leur diagnostic !

Le Lion, le Loup et le Renard (VIII, 3) offre la parodie d'une consultation médicale, avec diagnostic des spécialistes, mais sans aucun profit pour le patient. *Le Cerf malade* (XII, 6) évoque la cupidité des médecins qui font payer cher leurs visites.

Les magistrats n'échappent pas enfin à toute critique. Le fabuliste reproche à la justice d'être si coûteuse qu'elle finit par ruiner les plaideurs. Appelée à trancher un différend entre des Frelons et des Abeilles, la Guêpe, qui fait office de juge, rend une justice… injuste. La « moralité » de la fable est d'une grande clarté :

> On nous mine par des longueurs ;
> On fait tant, à la fin, que l'huître est pour le juge,
> Les écailles pour les plaideurs.
>
> (*Les Frelons et les Mouches à miel*, I, 21.)

On sort toujours affaibli d'un procès. C'est que les magistrats se font payer très cher et qu'ils font durer les procès, parfois pendant des années !

Cette satire de la justice se retrouve notamment dans *L'Huître et les Plaideurs* (IX, 9) ; *Le Renard, les Mouches et le Hérisson* (XII, 13) ; *Le Juge arbitre, l'Hospitalier et le Solitaire* (XII, 29, v. 10-12).

Les gens d'Église

Le clergé n'est pas davantage épargné. Le prêtre du *Curé et le Mort* (VII, 10) est un paillard qui ne pense qu'au salaire qu'il retirera d'un enterrement pour offrir un cotillon à sa chambrière. Ailleurs, le curé est présenté par le Savetier comme celui qui ruine les fidèles en fêtes chômées[1]. Tous sont cupides :

> Il en coûte à qui vous réclame,
> Médecins du corps et de l'âme. […]
> Tout le monde se fait payer.
>
> (*Le Cerf malade*, XII, 6.)

Quant au prélat de Cour, il est voué aux flammes de l'enfer parce qu'au lieu de résider dans son diocèse[2], il courtise des ministres pour mieux faire carrière (*Le Songe d'un habitant du Mogol*, XI, 4).

---

1. *Fêtes chômées* : fêtes légales où l'on ne travaille pas, comme le jour de Noël, le premier de l'an, et où l'on n'était donc pas payé.
2. Un *diocèse* est une circonscription ecclésiastique placée sous l'autorité d'un évêque.

LES PROCÉDÉS DE LA SATIRE

Toute critique n'est pas automatiquement satirique. Elle le devient lorsque sa formulation tend à discréditer ou à ridiculiser les personnes et les milieux sociaux attaqués. La satire est donc inhérente aux procédés qu'elle utilise. Ceux-ci se regroupent en trois grandes catégories : l'apostrophe morale[1], la formule frappante et l'humanisation des animaux.

L'apostrophe morale

La satire peut revêtir la forme d'une leçon tirée d'un récit. La présence de cette leçon est d'autant plus significative qu'elle n'est pas systématique[2]. En elle-même, celle-ci n'ajoute rien au récit, qui est alors suffisamment explicite. Elle en redouble le sens. Mais, en le redoublant, elle en accroît la force et la portée. Ainsi, dans *Les Animaux malades de la peste* (VII, 1), le lecteur comprend que l'âne est mis à mort, non parce qu'il est le plus coupable, mais parce qu'il est le plus faible. La morale reprend l'idée en lui donnant la concision d'une maxime :

> Selon que vous serez puissant ou misérable
> Les jugements de Cour vous rendront blanc ou noir.

(Même procédé dans *Conseil tenu par les Rats*, II, 2 ; *Le Chameau et les Bâtons flottants*, IV, 10 ; *Le Coche et la Mouche*, VII, 8 ; et *Le Cerf malade*, XII, 6.)

Dans d'autres fables, la satire se colore d'indignation et de véhémence :

> Hélas ! on voit que de tout temps
> Les petits ont pâti des sottises des grands.
>
> (*Les Deux Taureaux et une Grenouille*, II, 4) ;

ou encore :

> Messieurs les courtisans, cessez de vous détruire.
>
> (*Le Lion, le Loup et le Renard,* VIII, 3.)

---

1. Une *apostrophe* est une interpellation.
2. Voir pp. 133-134.

(Voir aussi *Le Corbeau voulant imiter l'Aigle*, II, 16 ; *Les Obsèques de la Lionne*, VIII, 14.)

La formule frappante

La satire peut aussi s'appuyer sur des procédés plus ponctuels. Elle se nourrit parfois d'une comparaison. Dans *La Cour du Lion* (VII, 6), l'antre du carnivore est comparé au « Louvre », la résidence du roi, puis à un « vrai charnier ». La formule prend dès lors un double sens : concrètement, il s'agit des carcasses d'animaux que dévore le lion ; symboliquement, il s'agit d'une allusion aux revers, traquenards et intrigues auxquels on peut succomber à la Cour.

Ailleurs, une métaphore condense le sens général de la fable. Les courtisans, dit La Fontaine, forment un « peuple caméléon, peuple singe du maître » (*Les Obsèques de la Lionne*, VIII, 14). Comprenons : comme le Caméléon qui a la faculté, en changeant de couleur, de se fondre dans son environnement, les courtisans calquent leur conduite et leurs opinions sur celles du roi ; ils le « singent », ils l'imitent mais maladroitement. Comment, en moins de mots, exprimer la versalité des gens de Cour ? Et, avec des mots, qui, de surcroît, renvoient au monde animal !

De la même façon, les courtisans sont déshumanisés car La Fontaine les décrit comme de « simples ressorts » (VIII, 14).

L'humanisation des animaux

La Fontaine attribue enfin aux animaux un symbolisme psychologique et social. Par la bête, on parvient à l'homme. Les animaux s'organisent en une société monarchique[1], avec un roi (le Lion, le plus souvent), des nobles puissants (l'Ours, le Tigre, l'Éléphant), des courtisans flatteurs à souhait (le Renard, le Loup).

Cette technique permet de reconnaître, comme en surimpression, la société française du XVIIe siècle dans l'évocation du monde animal.

---

1. Voir pp. 65-67.

La satire provient alors de cet incessant passage d'un univers à l'autre. Plusieurs cas sont possibles.

– Tantôt La Fontaine procède par glissements comme si les mondes humain et animal se confondaient dans une même unité. Par exemple :

> Ainsi dit le Renard et flatteurs d'applaudir.
>
> (*Les Animaux malades de la peste*, VII, 1.)

Le passage est immédiat entre le règne animal (le Renard) et la société de Cour (les flatteurs). De même, lorsque le Lion pleure la reine défunte :

> On entendit à son exemple
> Rugir en leurs patois Messieurs les Courtisans.
>
> (*Les Obsèques de la Lionne*, VIII, 14.)

Les animaux sont instantanément transformés en « courtisans ». L'allusion au « patois » accroît en outre la satire.

– Tantôt, le récit, strictement animalier, se clôt sur une morale qui s'applique aux seuls humains. La technique n'est plus celle du glissement, mais de la transposition. Ainsi, lorsque le Renard provoque la mort du Loup, La Fontaine transpose aussitôt le récit :

> Messieurs les Courtisans, cessez de vous détruire.
>
> (*Le Lion, le Loup et le Renard,* VIII, 3.)

(Même procédé dans : *Le Coche et la Mouche*, VII, 8 ou *Le Chat, la Belette et le petit Lapin*, VII, 15.)

LA PORTÉE DE LA SATIRE SOCIALE

Reste à évaluer la portée de la satire que La Fontaine fait de la société de son temps. Sous une apparence traditionnelle, elle se révèle d'une grande virulence.

Des thèmes satiriques traditionnels

Aucune des critiques lancées par La Fontaine ne constitue vraiment une nouveauté en cette fin de XVIIe siècle. Les moralistes

instruisent depuis longtemps le procès des courtisans. La dénonciation de l'oisiveté des nobles et de leur parasitisme social n'est pas
davantage inédite. Un dicton populaire l'atteste, qui faisait rimer en
un jeu de mots « gentilhomme » et « gens pille-homme ». Par ailleurs,
dès le XVIe siècle, Rabelais faisait la satire de la médecine ; et Molière,
dans *Le Malade imaginaire* (1673) par exemple, n'épargne pas le
corps médical qu'il taxe, comme La Fontaine, d'incompétence et de
cupidité. Quant aux prêtres et moines, ils sont, depuis le Moyen Âge,
la cible de tous les griefs. En lui-même, le réquisitoire que dresse le
fabuliste n'offre donc rien d'original. La littérature s'en était déjà largement fait l'écho.

▌Une virulence renouvelée

La Fontaine revivifie pourtant les thèmes de la satire. Il ne se
contente pas en effet de dresser un constat sévère des mœurs de
son temps : il explique leur dégradation en mettant en cause la responsabilité du roi. C'est sous cet angle que ses griefs prennent une
force nouvelle.

Le Lion est souvent le premier hypocrite de son royaume. La fable
Les Animaux malades de la peste (VII, 1), le montre confessant ses
fautes. Mais la manière dont il s'exprime tend à atténuer sa responsabilité :

> Même il m'est arrivé quelquefois de manger
> Le Berger.

Par sa brièveté, le vers en trois syllabes escamote littéralement
l'aveu de l'homicide.

Les rois exigent, par ailleurs, qu'on les flatte : « Ils goberont l'appât » (*Les Obsèques de la Lionne*, VIII, 14). Raffinement suprême, ils
demandent même qu'on les flatte avec adresse et subtilité. Le Loup
justifie (faussement) son absence à la cour par un pèlerinage qu'il
effectuait pour obtenir la guérison du roi (*Le Lion, le Loup et le
Renard*, VIII, 3). Les souverains enfin n'admettent pas la moindre
réserve dans l'éloge :

> Alléguer l'impossible aux Rois, c'est un abus.

Une simple grimace de désapprobation provoque la condamnation à mort de l'Ours (*La Cour du Lion*, VII, 6). Comment, dans ces conditions, ne pas flatter le monarque, ne pas approuver ses caprices, ni chercher à capter ses faveurs ?

En définitive, la satire de La Fontaine est d'autant plus vigoureuse qu'elle est indirecte. Le symbolisme animal permet des audaces qu'une critique ouverte ne se serait peut-être pas permises. Par son impact satirique, la fable cesse d'être un conte pour enfants.

11 | L'engagement politique

La Fontaine a fait de la fable un genre politiquement engagé, ce qui n'était pas dans la tradition ésopique. Sous une apparence anodine, le premier recueil des *Fables* (Livres I-VI) constitue une défense de son protecteur et ami le surintendant (ministre) des Finances Nicolas Fouquet. Le second recueil, puis le Livre XII résonnent tout autant des échos de l'actualité. La Fontaine se montre donc un chroniqueur politique attentif, souvent au service de la politique extérieure de Louis XIV, tout en restant un courtisan malheureux.

LA FONTAINE, CHRONIQUEUR POLITIQUE

Certaines fables trouvent leur origine dans des événements contemporains de leur composition. Aujourd'hui, le risque est donc grand de ne plus saisir leur sens ou les allusions qu'elles renferment. En comprendre la portée est pourtant essentiel pour mesurer combien La Fontaine intervient dans les débats politiques de son temps.

La Fontaine et Fouquet

Ministre des Finances sous Mazarin et au tout début du règne de Louis XIV, Nicolas Fouquet (1615-1680) aimait s'entourer d'artistes et d'écrivains qu'il « pensionnait » et recevait dans son splendide château de Vaux-le-Vicomte. C'est dans ce cercle très restreint que La Fontaine pénètre en 1658. Mais, en 1661, Fouquet est arrêté sur ordre de Louis XIV, jugé pour corruption et condamné à la prison à vie. La plupart de ses amis et anciens protégés se détournent aussitôt de lui pour se tourner vers Colbert (1619-1683), rival et successeur heureux de Fouquet. Non sans courage, La Fontaine est l'un des rares à demeurer fidèle au ministre déchu[1].

Il ne mentionne certes jamais le nom de Fouquet. Le faire aurait été trop dangereux ou trop imprudent. Mais les animaux connaissent des situations et des sorts comparables à celui du ministre disgracié. La Fontaine procède donc par allusions et par transpositions. Ainsi la Grenouille qui jalouse le Bœuf et qui tente de se faire aussi grosse que lui, rappelle l'hostilité envieuse de Colbert à l'égard de Fouquet. Le rapprochement s'impose d'autant plus que la « moralité » de la fable contient ces deux vers :

> Le monde est plein de gens qui ne sont pas plus sages :
> Tout Bourgeois veut bâtir comme les grands Seigneurs.
>
> (*La Grenouille qui veut se faire aussi grosse que le Bœuf*, I, 3.)

Or Colbert était d'origine bourgeoise.

Le Meunier, son Fils et l'Âne (III, 1) se clôt, de son côté, sur cette remarque :

> Prenez femme, Abbaye, Emploi, Gouvernement :
> Les gens en parleront, n'en doutez nullement.

Comment, là encore, ne pas songer à Fouquet qui, au faîte de sa puissance, suscitait bien des commentaires envieux ?

Deux thèmes majeurs parcourent enfin le premier recueil : celui de la ruse, des complots et des cabales ; et celui de la méchanceté humaine. Si La Fontaine les orchestre avec tant d'insistance, c'est parce qu'il considère que son protecteur a été l'objet d'injustes manœuvres.

Les attaques contre la politique coloniale de Colbert

Une série de fables traite du commerce maritime et de ses dangers. Si les bénéfices que les armateurs en escomptaient pouvaient être considérables, ils étaient aussi aléatoires. Il suffisait d'un naufrage

---

1. Voir « Repères biographiques », p. 20.

ou d'une attaque de corsaires pour que la perte fût irréparable. Pour La Fontaine, c'est donc folie que de tenter ainsi le sort (IV, 2 ; VII, 11 ; VII, 13 ; VIII, 18 et XII, 7). On pourrait n'y voir que la condamnation de l'aventure, des périls d'une course en mer ou l'expression d'une sagesse frileuse.

En réalité, ces fables étaient dirigées contre Colbert. C'était une autre façon pour La Fontaine de manifester sa fidélité à Fouquet en s'en prenant à celui qui avait été le principal artisan de sa chute. En 1664, Colbert avait fondé la Compagnie des Indes orientales pour commercer avec les Indes et Madagascar. La même année était née la Compagnie des Indes occidentales qui acheminait en France la cannelle de Ceylan, la porcelaine de Chine, le tabac et le sucre indiens. Ces deux compagnies avaient vite connu de graves difficultés financières. Elles avaient fait faillite, l'une en 1672, l'autre en 1674. En soulignant le caractère insensé de telles entreprises, La Fontaine manifestait son opposition.

▌Une revue de faits divers

La politique intérieure et ses conséquences sur la vie quotidienne alimentent tantôt le récit tantôt la morale des fables. Ainsi, dans *Le Savetier et le Financier* (VIII, 2), l'artisan se plaint du trop grand nombre de fêtes chômées dans l'année (v. 24-27). Sans droit de travailler ces jours-là, point d'argent gagné en effet.

En 1666, Colbert avait fait supprimer dix-sept de ces fêtes mais, en dehors des dimanches, il en restait encore trente-huit. La plainte du savetier se comprend mieux dans ces conditions.

De même, l'avarice du clergé que fustige *Le Rat qui s'est retiré du monde* (VII, 3) renvoie au refus de l'Église, en 1675, de contribuer financièrement aux dépenses occasionnées par la guerre de Hollande[1].

Les Devineresses (VII, 14) se moquent, de leur côté, des astrologues. Deux procès retentissants venaient alors de s'achever : ceux

---

1. Sur la guerre de Hollande (1672-1678), voir plus loin.

de la Brinvilliers (1676) et de la Voisin (1679-1680), accusées d'empoisonnement. Elles appartenaient à un milieu trouble où se côtoyaient tireuses de cartes, diseuses de bonne aventure, assassins et filous. Pour tranquilliser le public, ému par ces affaires, une propagande officielle mettait en garde contre les impostures des astrologues et des charlatans de toutes espèces. Par sa fable, La Fontaine lui apporte son concours.

Le Chien qui porte à son cou le dîné de son maître (VIII, 7) dénonce la mauvaise gestion des villes. *L'Huître et les Plaideurs* (IX 9), appelle à une réforme et à une moralisation de la justice qui étaient toutes deux à l'ordre du jour[1].

LA FONTAINE AU SERVICE DE LA POLITIQUE ÉTRANGÈRE DE LOUIS XIV

Critique envers Colbert, le fabuliste apporte en revanche son soutien à la politique extérieure de Louis XIV, notamment à propos de la guerre de Hollande. Après de longs préliminaires, le conflit éclate en 1672. Il s'achève en 1678 par la signature du traité de Nimègue, qui donne la Franche-Comté à la France[2]. Entre-temps, le conflit avait été marqué par bien des péripéties, dont les fables témoignent directement.

▌Pour le maintien de l'alliance franco-anglaise

La Fontaine évoque l'attitude de l'Angleterre durant cette période. Alliée de la France à l'origine, l'Angleterre s'était retirée du conflit avec la Hollande et avait signé en 1674 une paix séparée avec ce pays. La France avait alors craint que cette neutralité ne prélude à un

---

1. Le fonctionnement de la justice était désastreux : elle était lente, coûteuse et rendait des verdicts souvent injustes. Le pouvoir annonçait régulièrement son intention de la réformer.
2. Regroupant aujourd'hui les départements de la Haute-Saône, du Doubs et du Jura, cette région appartint longtemps aux Espagnols qui eux-mêmes régnaient sur la Hollande.

retournement d'alliance, qui aurait vu l'Angleterre s'opposer à Louis XIV. La Fontaine se fait clairement l'écho de cette inquiétude.

Un animal dans la Lune (VII, 17) met en garde le souverain d'Angleterre, Charles II, contre les risques qu'il encourrait à rejoindre le camp de la Hollande. La France est puissante, rappelle La Fontaine ; et son roi a toujours été vainqueur. La menace est à peine voilée. L'Angleterre aurait tout à perdre à défier les Français. *Le Pouvoir des fables* (VIII, 4), dédié à M. de Barillon, alors ambassadeur de France en Angleterre, développe la même idée.

Le Lion (XI, 1) renferme enfin un avertissement déguisé à l'Angleterre. Symbolisée par le léopard, celle-ci n'a rien à gagner à s'en prendre au lion (la France). Même affronté à une foule d'enne-mis, le roi des animaux demeure le plus fort.

Usant tour à tour de la menace et de la prière, La Fontaine prend ainsi parti dans le conflit qui déchire l'Europe.

Contre la Hollande

Parallèlement, le fabuliste critique la Hollande. Dans sa guerre contre la France, ce pays avait trouvé des appuis en Espagne, en Suède et auprès de l'empire austro-hongrois. Une coalition s'était ainsi formée contre Louis XIV. Mais quelle était vraiment sa force ? *Le Bassa et le Marchand* (VIII, 18) souligne qu'il est préférable de s'allier à un seul pays puissant plutôt qu'à plusieurs, faibles et sans argent :

> [...] tout compté, mieux vaut en bonne foi
> S'abandonner à quelque puissant Roi,
> Que s'appuyer de plusieurs petits princes.

Le Chat et le Rat (VIII, 22) approuve la prudence de Louis XIV. Le Chat « grippe-fromage » représente la Hollande. Celle-ci peu avant la paix de Nimègue, avait esquissé un rapprochement avec Louis XIV (le Rat). Des contacts diplomatiques avaient été pris. Mais la France avait accueilli cette ouverture avec suspicion. Quel degré de confiance lui accorder ? Le Rat refuse donc l'amitié du Chat. Et il fait bien, dit La Fontaine. Peut-on espérer qu'un Chat change de nature et d'instinct ?

Ces fables montrent en définitive que le poète est parfaitement informé de la situation politique de la France en Europe. Aux lecteurs avertis, elles apportent des échos de l'actualité. Systématiquement, elles soutiennent Louis XIV, dont elles prolongent et répandent la propagande officielle.

LA FONTAINE, COURTISAN MALHEUREUX DE LOUIS XIV

La position de La Fontaine à l'égard du pouvoir royal s'avère ambiguë. D'un côté, il cherche à s'en attirer les faveurs ; de l'autre, il conserve son indépendance d'esprit et de jugement. C'est sans doute pourquoi il ne figura jamais parmi les protégés de Louis XIV.

La quête des faveurs royales

Que La Fontaine cherche à plaire au roi, les dédicaces de ses fables le prouvent amplement. Le second recueil (Livres VII-XI) est tout entier dédié à Mme de Montespan, la maîtresse de Louis XIV[1]. *Les Dieux voulant instruire un fils de Jupiter* (XI, 2) est dédié au jeune duc du Maine, fils naturel de Louis XIV et de Mme de Montespan. Les fables 1, 2 et 5 du Livre XII sont dédiées au duc de Bourgogne, petit-fils de Louis XIV.

Par ailleurs, le fabuliste fait à plusieurs reprises l'éloge de son souverain.

> Le monarque prudent et sage
> De ses moindres sujets sait tirer quelque usage,
> Et connaît les divers talents :
> Il n'est rien d'inutile aux personnes de sens,

lit-on dans *Le Lion s'en allant en guerre* (V, 19). Le prologue de *L'Écrevisse et sa fille* (XII, 10) souligne l'habileté stratégique de Louis XIV, « qui tout seul déconcerte une ligue à cent têtes ». Cette « ligue » est celle d'Augsbourg qui, de 1686 jusqu'à la paix de Ryswick (1697), coalisa l'Europe presque tout entière contre la France.

---

1. Mme de Montespan (1641-1707) devint en 1667 la maîtresse officielle de Louis XIV, dont elle eut huit enfants.

Les Compagnons d'Ulysse (XII, 1) célèbrent le sens de la mesure dont Louis XIV fait preuve durant cette même guerre.

Le second recueil s'achève enfin sur un éloge vibrant de Louis XIV qui « dompte l'Europe » et qui exécute « les plus nobles projets qu'ait jamais formés un monarque » (*Épilogue* du Livre XI).

▌Une indépendance d'esprit et de jugement

Son adhésion à la politique de Louis XIV n'empêche pourtant pas La Fontaine de conserver sa liberté de penser. Même lorsqu'il célèbre les exploits militaires de son souverain, le fabuliste forme des vœux pour un retour rapide de la paix. En pleine guerre de Hollande, il suggère à Louis XIV d'œuvrer à la tranquillité des peuples. Comparable au « premier des Césars[1] », celui-ci devrait s'inspirer d'Auguste, dont le règne fut pour l'Empire romain une période de prospérité. Avec *Un animal de la Lune* (VII, 17), le septième livre se clôt d'ailleurs sur un appel à la paix, à cette paix que La Fontaine envie les Anglais de connaître.

Le poète continue en outre de donner une image critique de la condition royale. Le Lion interroge un singe sur ses devoirs de souverain. Faire passer le bien de l'État avant les satisfactions de l'amour-propre et pratiquer la justice, lui répond le Singe. Celui-ci développe amplement le premier point, mais se garde bien d'aborder le second, car il « regardait le lion comme un terrible sire » (*Le Lion, le Singe et les deux Ânes*, XI, 5). Autrement dit, il est impossible, sous peine d'encourir les plus grands risques, d'enseigner l'art de la justice à un roi. De même est-il vain de l'inciter à la clémence, car « la vengeance est un morceau de roi » (*Les Deux Perroquets, le Roi et son Fils*, X, 11). Certes, ces fables ne mentionnent jamais expressément Louis XIV. Mais toute générale et indirecte qu'elle soit, la critique ne l'épargne pas. À quel roi, sinon à Louis XIV, pouvait-on en effet songer à cette époque ?

---

1. Jules César, général et homme d'État romain (101-44 av. J.-C.), reste dans la tradition historique le type même du grand conquérant.

▌Des espoirs déçus

Ce mélange d'approbation et de réticence explique sans doute que La Fontaine n'ait pas obtenu les faveurs royales qu'il a pu escompter. Contrairement à Racine[1], il ne fera jamais carrière à la cour. Louis XIV s'opposera même momentanément à son élection à l'Académie française[2]. La Fontaine ne deviendra pas davantage précepteur du duc de Bourgogne, comme il l'avait un instant souhaité. Peut-être Louis XIV se souvenait-il encore que le fabuliste avait été, par le passé, un ardent défenseur de Fouquet[3].

D'opposant dans le premier recueil des fables, La Fontaine adopte donc un comportement plus ambigu dans le second. Qu'il ait éprouvé la tentation des honneurs est indéniable. La manière dont il traite l'actualité politique de son temps l'atteste amplement. Mais s'il a ressenti la tentation du conformisme, il n'y a jamais totalement succombé.

---

1. Racine (1639-1699) devint, en effet, un personnage important à la cour de Louis XIV, dont il fut l'historiographe.
2. Louis XIV finit toutefois par ratifier l'élection de La Fontaine.
3. Voir p. 22.

12 | Les questions philosophiques et religieuses

Au-delà de leur apparence naïve et enfantine, les *Fables* sont un écho des préoccupations intellectuelles de La Fontaine, ainsi que de l'intérêt qu'il porte à la philosophie. Le séjour du poète chez Mme de La Sablière[1] avive sa curiosité pour les doctrines et les systèmes de pensée. Hôte d'une femme qui accueille dans son salon des scientifiques, des écrivains, des philosophes et de grands voyageurs, tels Bernier[2] ou Chardin[3], La Fontaine s'enrichit à l'écoute de leurs débats et conversations. Son horizon s'élargit. Sa vision du monde s'affermit. Progressivement se forge chez lui une théorie générale du monde et de l'homme. La Fontaine défend l'idée de l'intelligence des bêtes, expose sa conception de l'homme et du monde et adopte, en définitive, une vision religieuse de l'univers.

LA CROYANCE EN L'INTELLIGENCE ET EN L'ÂME DES BÊTES

Le débat sur l'intelligence et l'âme des bêtes n'était pas nouveau au XVIIe siècle. Il était ouvert depuis l'Antiquité. Les travaux de l'Académie des sciences, créée en 1666, et l'essor des sciences naturelles l'avaient toutefois relancé. Un fabuliste, dont les animaux sont, par définition, les personnages naturels, ne pouvait se désintéresser de la question. La Fontaine l'aborde donc dans un texte

---

1. Voir p. 22.
2. François Bernier (1620-1688), médecin de formation, séjourna aux Indes. Reçu chez Mme de La Sablière, ses récits et ses pensées, imprégnées d'orientalisme, influencèrent beaucoup La Fontaine.
3. Jean Chardin (1643-1713) visita les Indes et la Perse.

capital, qui clôt le Livre IX des fables : le *Discours à Madame de La Sablière*. En une démonstration serrée, le poète y dit sa conviction de l'existence d'une âme et d'une forme d'intelligence chez les animaux.

▍L'exposé de la théorie de Descartes

Dans le *Discours à Madame de La Sablière*, La Fontaine commence par donner la parole à ses adversaires, favorables à la thèse des « animaux-machines » développée par Descartes. Philosophe, mathématicien et physicien, René Descartes (1596-1650) avait soutenu dans son *Discours de la méthode* que les animaux étaient de simples automates. Bien qu'il ait été publié en 1637, son ouvrage connaissait un regain de faveur dans la seconde moitié du XVIIᵉ siècle. C'est pourquoi La Fontaine expose d'abord les conceptions des cartésiens[1].

Selon ces derniers, les animaux n'auraient pas d'âme, n'éprouveraient aucune sensation et ne posséderaient aucune intelligence. Ce seraient des « machines », animées par des « ressorts », comme peuvent l'être les aiguilles d'une « montre ». Tout serait chez eux mécanique et corporel (*Discours à Madame de La Sablière*, v. 29-66).

▍La réfutation de Descartes par l'exemple

Cette théorie, La Fontaine l'expose comme s'il s'y ralliait. En fait, il ne la présente que pour mieux la combattre. Quatre exemples et une fable lui permettent de la réfuter.

Voici d'abord le Cerf (v. 68-81) pressé par une meute de chiens lors d'une chasse à courre. Avec quel art, il déjoue ses poursuivants en brouillant les pistes !

La Perdrix – deuxième exemple – détourne sur elle l'attention du chasseur pour sauver ses petits (v. 82-91).

Les Castors, quant à eux, (v. 92-115) se protègent des rigueurs de l'hiver en construisant des maisons très solides.

---

1. *Cartésiens* : nom donné aux adeptes de la philosophie de Descartes.

Les boubaks[1] témoignent enfin d'une ruse et d'une finesse infiniment supérieures à celles du renard (v. 116-135).

La conclusion s'impose d'elle-même : pour agir de la sorte, ces animaux doivent avoir une certaine intelligence. Invoquera-t-on leur instinct ? Mais celui-ci suppose, en l'occurrence, une forme de mémoire, qui fait se souvenir de l'expérience passée. Il ne s'agit donc pas seulement d'un instinct en quelque sorte « mécanique » comme le pensait Descartes.

Pour parachever sa démonstration, La Fontaine insère une fable dans son Discours : *Les Deux Rats, le Renard et l'Œuf*. Des Rats trouvent un Œuf dont ils comptent faire leur festin. Un Renard survient. Comment transporter l'Œuf pour le mettre en sûreté ? Impossible de le rouler. Un des deux rats se met alors sur le dos, prend l'Œuf entre ses pattes, tandis que l'autre tire l'attelage par la queue. L'histoire passait pour authentique[2]. C'est, selon La Fontaine, la preuve irréfutable que les animaux sont doués d'une faculté d'invention.

Les convictions de La Fontaine

Prenant directement la parole, La Fontaine expose alors son point de vue personnel. À défaut d'une « raison » raisonnante, les animaux possèdent un « esprit », certes imparfait, mais à peu près semblable à celui des tout jeunes enfants (v. 199-202). Il n'est pas développé, mais il existe. Cet « esprit » les rend capables de juger et de sentir.

De l'intelligence, La Fontaine passe ensuite à la question de l'âme. Reprenant une théorie fort répandue à son époque, il considère qu'il existe deux sortes d'âmes : l'une matérielle et mortelle, qui insuffle la vie ; l'autre, immatérielle et immortelle, qui rapproche de Dieu. L'être humain possède les deux ; l'animal n'est doté que de la première « imparfaite et grossière » (v. 237).

---

1. Ces *boubaks* (ou bobaques) sont des sortes de renards, vivant dans le Grand Nord.
2. Elle est en effet attestée par plusieurs récits de l'époque. Mais pour les uns il s'agissait de castors, pour d'autres, de marmottes.

UNE CONCEPTION GÉNÉRALE
DE L'HOMME ET DU MONDE

Trancher, comme le fait La Fontaine, en faveur de l'existence d'une âme et d'une intelligence chez les animaux a des conséquences philosophiques qui dépassent le strict cadre animal. Dans cette hypothèse, en effet, l'homme, s'il conserve sa supériorité, n'est plus l'unique créature douée de raison.

L'atome, composante de l'univers

De quoi est fait l'univers ? La question, d'apparence résolument moderne, est en réalité ancienne. On se l'est posée dès l'Antiquité. Les Grecs Démocrite et Épicure[1], le Latin Lucrèce[2] penchaient déjà pour une interprétation atomiste de l'univers. Tout est matière, et cette matière est elle-même composée d'infimes particules de base (les atomes). Dans ses traités de physique et son *Discours de la méthode*[3], Descartes avait réexaminé la question.

La Fontaine, passionné par ces théories scientifiques, n'hésite pas à s'en faire l'écho dans ses fables. Comment, se demande-t-il, percer « les vides sans fin », analyser ce que sont la planète Mars et le Soleil (*L'Horoscope*, VIII, 16) ? Comme Démocrite dont il fait l'éloge (VIII, 26), il pense que l'infini est constitué d'atomes invisibles. Mais à, l'inverse de Descartes, il estime qu'entre les atomes il n'y a que du vide[4]. C'est encore en se référant à l'atome que le poète explique l'âme des bêtes. Celle-ci serait une « quintessence d'atome[5] ». Ce faisant, La Fontaine se range du côté des théories scientifiques les plus modernes de son temps.

---

1. Démocrite (vers 460-vers 370 av. J.-C.) et Épicure (vers 341-vers 270 av. J.-C.) donnent une explication matérialiste de l'univers, formé à partir d'atomes.
2. Lucrèce (vers 98-vers 55 av. J.-C.) est surtout connu pour avoir exposé la doctrine d'Épicure en un long poème latin, le *De natura rerum* (« De la nature des choses »).
3. Voir p. 102.
4. Descartes soutenait que le vide était en réalité composé d'une matière fluide et légère, et donc qu'il n'existait pas à proprement parler.
5. Une *quintessence* : un concentré.

Une hiérarchie de la vie

Si tout est atome, d'où proviennent la multiplicité et la complexité croissante des formes vivantes ? De combinaisons différentes des atomes. La particule de base est partout la même, mais l'agrégat de ces atomes donne naissance à la diversité.

À la différence toutefois des philosophes matérialistes, La Fontaine croit que ces combinaisons dépendaient de l'action d'une « certaine âme universelle » (*Discours à Madame de La Sablière*, fin du Livre IX). Quand cette action est faible, elle produit les règnes minéral et végétal. Lorsqu'elle est plus forte, elle crée le règne animal. Quand elle est encore plus nette, elle aboutit à la formation de l'homme.

Pour La Fontaine, un même et immense principe vital parcourt et anime la nature, selon une hiérarchie et des degrés qui vont du plus élémentaire au plus élaboré[1]. Au sommet de cette hiérarchie du vivant se trouve l'homme. Mais, pour occuper la place supérieure, celui-ci n'en demeure pas moins un chaînon de l'ensemble. Parce qu'il participe, comme les plantes et les animaux, de cette « âme universelle », il leur doit respect et protection. C'est ce que les animaux, lorsqu'ils instruisent le procès de l'homme[2], lui rappellent sans cesse et, hélas, toujours en vain.

Sensations, raison et savoir

La Fontaine intervient enfin dans le débat sur la connaissance et, plus exactement, sur la manière d'y accéder. *Un animal dans la Lune* (VII, 17) expose les deux grandes interprétations opposées qui existent au XVIIe siècle.

Pour les uns, ce que transmettent les sens (la vue, l'ouïe…) est trompeur. Les « hommes sont dupés » par « leur sens[3] ». Selon d'autres[4], les sens constituent la seule source de vérité.

---

1. Cette théorie reçoit ordinairement le nom d'animisme. Au XIXe siècle, Victor Hugo s'y ralliera.
2. Voir p. 59.
3. C'est la position de Descartes ou de Pascal.
4. C'était la position d'un philosophe comme Gassendi (1592-1655) dont la pensée a longtemps influencé La Fontaine.

Dans un premier temps, La Fontaine opte pour la première hypothèse. Les sens produisent de l'illusion. L'exemple du bâton plongé en partie dans l'eau le démontre. On le voit cassé à l'endroit où il pénètre dans le liquide, alors qu'on le sait rectiligne. C'est une illusion d'optique bien connue. C'est à la raison de rectifier la vue. C'est elle qui doit décider en « maîtresse » :

> Quand l'eau courbe un bâton, ma raison le redresse.
>
> (*Un animal dans la Lune*, VII, 17.)

Pourtant, La Fontaine se refuse, dans un second temps, à condamner le témoignage des sens. Ceux-ci, dit-il, donnent l'apparence des choses. Or sans cette apparence, on ne pourrait progresser dans la connaissance.

Les sens sont donc pour lui un instrument nécessaire et indispensable, à condition de savoir que cet instrument n'est pas fiable. Il faut le corriger par la raison.

Regarde-t-on le soleil ? Vu de terre, c'est un disque petit et plat. À la raison de l'envisager dans l'espace, de tenir compte de la distance. Il devient alors un vaste globe. Ainsi le « vrai » est-il « caché sous l'apparence » (VII, 17). La raison doit se servir des sens pour les dépasser et rectifier les impressions qu'ils procurent.

UNE INTERPRÉTATION RELIGIEUSE DU MONDE

L'idée d'« âme universelle » indiquait déjà que La Fontaine avait une vision religieuse du monde. Il croit en effet en Dieu.

Mais en quel Dieu ? La question se pose dans la mesure où les convictions du fabuliste ont évolué : du déisme[1] vers la foi catholique.

De la conviction déiste...

Longtemps La Fontaine s'est tenu éloigné de la religion chrétienne, de ses dogmes et de ses rites[2]. Il ne verse pas pour autant

---

1. Est *déiste* celui qui croit en Dieu, mais sans se reconnaître dans une religion officielle.
2. Les *rites* : les cérémonies en usage dans une religion.

dans l'athéisme. Mais la représentation chrétienne de Dieu lui est étrangère. Il préfère croire en une Providence plus vague, réglant l'ordre général du monde. Ainsi dans *La Besace* (I, 7) fait-il allusion au « Fabricateur souverain », c'est-à-dire à un Être suprême ; et *Le Gland et la Citrouille* (IX, 4) commence par cette affirmation : « Dieu fait bien ce qu'il fait. » L'idée se trouve déjà en germe dans *L'Aigle et l'Escargot* (II, 8). Le *Discours à Madame de La Sablière* (fin du Livre IX) reconnaît l'existence d'un « esprit » immortel qui « vit en nous et meut tous nos ressorts ». Quant à connaître plus avant ce Dieu et cet « esprit », voilà qui est impossible. Tant que l'on vit, on ne peut avoir de la Providence qu'une image confuse. Seule la mort qui transporte l'âme au sein de la divinité, permet d'accéder à la certitude suprême et absolue. C'est la position même du déisme.

▌... à la profession de foi chrétienne

Le Livre XII offre toutefois une tonalité nettement plus chrétienne. La vieillesse, la maladie et la disparition d'amis chers[1] ne sont sans doute pas étrangères à ce phénomène. La dernière fable du Livre XII, *Le Juge arbitre, l'Hospitalier et le Solitaire* (XII, 29) constitue le testament spirituel de La Fontaine.

Or les trois personnages que campe la fable sont des saints, qui œuvrent au salut de leur âme et à celui de leurs frères humains. La vertu chrétienne de « charité » (v. 17) y apparaît, ainsi que la notion de vie éternelle (v. 1). La fonction de juge bénévole que remplit le « Juge arbitre », l'aide aux mourants à laquelle se dévoue l'« Hospitalier » étaient à l'époque des activités assumées par des congrégations religieuses. Quant au « Solitaire », il évoque ceux qui consacraient leur existence à la prière.

Ce retour de La Fontaine à une foi plus traditionnelle préfigure l'état d'esprit qui sera le sien dans les derniers temps de son existence. La Fontaine mourra dans des sentiments très chrétiens.

Les *Fables* possèdent en définitive d'incontestables résonances philosophiques. Au travers de leurs thèmes, elles abordent les

---

1. Voir p. 23.

grands problèmes discutés à leur époque. Elles s'ouvrent à toutes les interrogations : qu'est-ce que l'intelligence ? Le monde ? Le savoir ? Qui est Dieu ? Ce n'est pas la moindre de leur originalité. D'abord conçue pour instruire les enfants en les divertissant, la fable devient, grâce à La Fontaine, un genre propice aux réflexions les plus profondes. De telles évocations n'ont évidemment plus rien d'enfantin. C'est aux adultes cultivés que le poète s'adresse, en leur confiant, sous une forme parfois anecdotique, ses pensées les plus intimes.

13 | Les *Fables* définissent-elles une conception du bonheur ?

Les *Fables*, dont la rédaction s'échelonne sur au moins vingt-cinq ans, résument et consignent l'expérience d'une vie. En moraliste qui observe et analyse les mœurs de ses contemporains, La Fontaine constate que souvent les hommes se trompent sur le bonheur : ils le placent là où il n'est pas. Ils ne recherchent pas les joies simples mais authentiques de l'existence, qu'ils devraient au contraire savourer. Ils répugnent à se connaître et à s'accepter tels qu'ils sont, parce qu'il y faut un effort d'humilité et de lucidité. C'est pourtant, selon La Fontaine, le gage de la sérénité.

RECHERCHER LES VRAIES JOIES DE L'EXISTENCE

L'amitié profonde et durable

Avoir un ami véritable constitue pour le fabuliste l'une des formes essentielles du bonheur. C'est une « douce chose » (VIII, 11), mais rare, ainsi qu'il le constate dans *Parole de Socrate* (IV, 17) :

> Chacun se dit ami ; mais fol (= fou) qui s'y repose :
> Rien n'est plus commun que ce nom,
> Rien n'est plus rare que la chose.

Comme Montaigne dont il a beaucoup lu les *Essais*[1], La Fontaine se fait une très haute idée de l'amitié. Celle-ci ne saurait se réduire à

---

1. Montaigne (1533-1592) publie la première édition de ses *Essais* en 1580 ; la dernière, parue de son vivant, date de 1585. Montaigne y consigne ses réflexions sur la vie, ses lectures, la société de son époque, et célèbre les charmes de l'amitié qui le lia à La Boétie.

une simple connaissance, ni même à une bonne camaraderie. L'amitié se veut plus exigeante. Tout est partagé et mis en commun. Entre les « deux vrais amis » qui habitent le Monomotapa[1].

> L'un ne possédait rien qui n'appartînt à l'autre.
>
> (*Les Deux Amis*, VIII, 11.)

Le premier voit en songe le second « un peu triste ». Aussitôt il se lève en pleine nuit et court chez lui. L'ami réveillé s'étonne, imagine un ennui, une catastrophe, et se met spontanément à son service pour l'aider en quoi que ce soit. L'autre lui réplique qu'il n'a besoin de rien, mais qu'il a craint que son rêve ne fût prémonitoire. Quel est des deux le meilleur ami, demande La Fontaine ?

L'amitié, telle qu'il l'entend, lui semble un sentiment si rare qu'il la fait vivre dans le pays presque imaginaire du Monomotapa, comme si elle ne pouvait exister que dans une région de rêve. De même, la Gazelle, le Rat, le Corbeau et la Tortue (XII, 15) qui vivent « ensemble unis » et forment une « douce société », habitent « une demeure aux humains inconnue ». Cet idéal ne peut s'épanouir que dans un pays d'utopie[2]. Du moins La Fontaine, qui eut lui-même de nombreux amis[3], appelle-t-il au dépassement et au don de soi.

▌L'amour dans l'union libre

Parfois taxé de misogynie pour ses fables satiriques contre les femmes[4], La Fontaine s'érige par ailleurs en un chantre vibrant de la passion amoureuse. À une époque où le mariage était affaire d'argent et d'intérêt, il adopte la conception de la préciosité[5] sur l'amour,

---

1. Sur ce pays de l'Afrique australe et sur ses résonances exotiques, voir p. 81.
2. Voir p. 83.
3. La Fontaine fut l'ami de Racine, de Boileau, de Molière, de Mᵐᵉ de La Fayette. Il resta en outre fidèle à Fouquet, même après la disgrâce de ce dernier (voir p. 23).
4. Voir *L'Homme entre deux âges, et ses deux Maîtresses* (I, 17), *La Femme noyée* (III, 16), *La Jeune Veuve* (VI, 21), *Le Mal Marié* (VII, 2), *Les Femmes et le Secret* (VIII, 6), *Le Mari, la Femme et le Voleur* (IX, 15). Ces fables très cruelles envers les femmes ne permettent pas toutefois de conclure à une misogynie réelle du fabuliste. Depuis l'Antiquité gréco-romaine, il existait en effet une forte tradition satirique à l'égard des femmes.
5. La préciosité s'épanouit de 1650 à 1660. C'est un mouvement qui vise à réhabiliter la femme et à policer les manières. Il fut amplement diffusé par les romans de Mˡˡᵉ de Scudéry.

qui ne saurait se confondre avec la vie conjugale. Les tracas familiaux et la cohabitation quotidienne font en effet que « chez les époux tout ennuie et tout lasse » alors que « chez les amants tout plaît, tout est parfait » (*Belphégor*, XII, 27, v. 118-119). L'amour ne peut donc se vivre que dans l'union libre et même passagère.

Son intensité n'en est dès lors que plus forte. Aux « amants heureux amants », La Fontaine donne ce conseil magnifique :

> Soyez-vous l'un à l'autre un monde toujours beau
> Toujours divers, toujours nouveau ;
> Tenez-vous lieu de tout, comptez pour rien le reste.
>
> (*Les Deux Pigeons*, IX, 2.)

Lui-même donnerait la fortune et la gloire pour de nouveau aimer. Preuve de l'importance de l'amour, le désespoir le submerge à l'idée qu'il est désormais trop vieux pour vivre une passion :

> Ah si mon cœur osait encor se renflammer !
> Ne sentirai-je plus de charme qui m'arrête ?
> Ai-je passé le temps d'aimer ?
>
> (*Les Deux Pigeons*, IX, 2.)

La confidence est pathétique[1] et souligne par là même la nostalgie du bonheur.

▌Le loisir studieux

La Fontaine accorde enfin une grande importance au temps libre. Aller et venir comme bon lui semble, flâner le long d'une rivière (XII, 29), converser avec des amis, contempler la nature sont à ses yeux des plaisirs infinis et sans prix, qui permettent de savourer l'existence.

Ce loisir ne se limite pas pour autant à l'inactivité et à la détente. Il est souvent studieux et consacré à la culture. Lire, apprendre, observer le firmament sont des joies sans pareilles car « le savoir a son prix » (VIII, 19). Il convient de « laisser dire les sots » et ceux qui pensent qu'il ne sert à rien de se cultiver. L'enrichissement de l'esprit est source d'enchantement et de délices. La Fontaine rejoint ainsi la

---

1. Est *pathétique* toute émotion douloureuse.

tradition latine et aristocratique de l'*otium*[1], du loisir voué à l'étude et à la connaissance.

CONNAÎTRE ET SE CONNAÎTRE

Célébrer l'amitié, l'amour et le savoir n'offre certes rien d'original, même au XVIIe siècle. Le bonheur que prône La Fontaine semble à la portée de quiconque. Ce n'est qu'une apparence. Cette quête des vraies joies de l'existence implique un choix de vie, exige de la lucidité et même de l'humilité. Pour l'entreprendre en effet, il faut avoir opéré un tri entre ce qui est essentiel et ce qui est accessoire.

▌Refuser les fausses valeurs

La première des conditions du bonheur est de ne pas se laisser aveugler par ce que Pascal appelait les « grandeurs d'établissement[2] », c'est-à-dire la réussite sociale. Au XVIIe siècle, cette réussite sociale passe par la gloire lorsqu'on est noble ; par la fortune quand on appartient à la bourgeoisie ; et pour les plus ambitieux, par la fréquentation de la Cour. Être admiré et en vue, occuper un poste ou une place élevée, telle est l'ambition courante.

Pour La Fontaine, ces valeurs en vogue dans le grand monde sont fausses et illusoires. En effet,

> Aucun chemin de fleurs ne conduit à la gloire.
>
> (*Les Deux Aventuriers et le Talisman*, X, 13.)

Celle-ci suppose souffrances et peines. Et pour quel résultat en définitive ? Comme le montre la fable de *L'Éducation* (VIII, 24), la réputation acquise n'est pas transmissible aux descendants, qui souvent dégénèrent. Quant à la fortune et à la « fureur d'accumuler » (XII, 3), elles font l'objet d'une condamnation constante (IV, 9 ; IV, 13).

---

1. *Otium* : mot latin signifiant le repos, c'est-à-dire l'absence de travail, et non l'inactivité complète.
2. Dans ses *Pensées*, publiées après sa mort, Pascal (1623-1662) désigne sous cette appellation toutes les formes de puissance d'autorité ou de prestige. Ce ne sont, à ses yeux, que des grandeurs apparentes.

La « morale » du *Savetier et du Financier* (VIII, 2) indique clairement que l'argent ne fait pas le bonheur. La Cour renferme enfin trop de dangers pour la fréquenter : c'est un « monde » où règnent l'hypocrisie, la flatterie, les espions et les embûches[1].

La Fontaine rejette donc à la fois tout idéal héroïque et toute ambition sociale. Sa position rejoint celle de la plupart des écrivains et des moralistes du dernier quart du XVIIe siècle, marqué par le désenchantement et par un certain scepticisme envers les capacités humaines. Pas plus que le théâtre de Racine ou les *Caractères* de La Bruyère par exemple, les *Fables* ne proposent une vision conquérante et optimiste de l'existence.

▌S'accepter tel que l'on est

Le fabuliste situe en revanche le bonheur dans une connaissance de soi-même, de son caractère, de ses penchants, bref de sa « nature ». Il s'agit de bien se connaître pour vivre en harmonie avec soi-même et avec les autres. Cette entreprise d'analyse est sans doute discrète, peu glorieuse, mais elle conditionne l'équilibre de tout être humain.

La conquête du bonheur se doit en effet d'éviter deux écueils : d'une part, se laisser emporter par ses passions ; d'autre part, vouloir leur résister à tout prix. Les fables raillent ou dénoncent à l'envi les ambitieux, les vaniteux, les avares, les cupides qui ne savent refréner leurs instincts, faute de les maîtriser.

La Fontaine plaint ceux que leur « condition » jamais « ne contente » et qui la trouvent toujours pire que celle des autres (VI, 11). Mais, à l'inverse, il est inutile de vouloir, comme les stoïciens[2] se corriger à toute force, il est vain de « retrancher de l'âme désirs et passions ». Ce serait « cesser de vivre » avant même d'être mort (*Le Philosophe scythe*, XII, 20).

---

1. Sur la critique de la vie de cour, voir p. 84.
2. Le *stoïcisme* est la doctrine du philosophe Zénon de Citium (IVe siècle avant notre ère) qui professait que le bonheur est dans la vertu et qui prônait l'indifférence courageuse devant les malheurs de l'existence. Le philosophe latin Sénèque (4-65 ap. J.-C.) répandit largement par ses écrits cette doctrine.

Il faut donc savoir s'accepter avec ses qualités et ses défauts et tenter, par l'éducation et par l'étude, de développer les aspects positifs de sa personnalité et de réduire les aspects négatifs. Ne pas se brider, mais ne pas succomber à ses moindres désirs.

▌Équilibre et modération

C'est en fait à une forme de sagesse que La Fontaine appelle, fondée sur la modération et le juste milieu. Éviter les dangers, les fous, les hypocrites, les voyages hasardeux[1] ; mépriser l'or et les grandeurs afin de rester maître de soi ; mais accepter l'homme et le monde tels qu'ils sont malgré leurs imperfections. Voilà le but du sage, que l'on ne peut atteindre que dans les « lieux pleins de tranquillité » :

> Chercher ailleurs ce bien est une erreur extrême.
> (*Le Juge arbitre, l'Hospitalier et le Solitaire*, XII, 29.)

Ni révolutionnaire ni conservateur, La Fontaine fuit les extrêmes. Son souci de la modération et de la « médiocrité[2] », comme on disait alors, fait de lui un classique. Loin de se restreindre aux seuls domaines artistiques, le classicisme[3] prônait également une manière de vivre, que le poète reprend en grande partie à son compte.

LE PLAISIR ET LA SÉRÉNITÉ

Un tel équilibre débouche sur une attitude globale face à l'existence, dont il faut savoir profiter, sans en redouter la fin parce que « Dieu fait bien ce qu'il fait » (IX, 4).

▌Jouir du temps qui passe

La fuite du temps rend les heures précieuses. Jamais elles ne reviendront. Sachons donc en profiter et les goûter à leur infinie valeur :

---

1. Sur la condamnation des voyages, voir p. 73.

2. *Médiocrité* conserve au XVIIᵉ siècle son sens latin de « juste milieu ».

3. Dans les arts, le *classicisme* s'épanouit à partir de 1660. Il privilégie la raison, la régularité, l'harmonie et l'ordre – toutes notions qui peuvent se traduire sur le plan moral.

> L'homme, sourd à ma voix comme à celle du sage
> Ne dira-t-il jamais : « c'est assez, jouissons » ?
> Hâte-toi, mon ami, tu n'as pas tant à vivre.
>
> (*Le Loup et le Chasseur*, VIII, 27.)

Le conseil est épicurien. Philosophe grec du IVe siècle avant notre ère, Épicure assimilait le bonheur à des plaisirs et à des satisfactions simples, le premier d'entre eux consistant dans le fait de vivre. Si les vices et les excès de toutes sortes en détruisent la saveur, la liberté, le rêve, l'absence de souci l'augmentent.

Quel bien vaut que l'on quitte :

> Le repos, le repos, trésor si précieux
> Qu'on en faisait jadis le partage des Dieux ?
>
> (*L'Homme qui court après la Fortune*
> *et l'Homme qui l'attend dans son lit*, VII, 11.)

▌Ne pas craindre la mort

Avoir pu participer au « banquet » de la vie constitue un bonheur et une chance tels que, lorsqu'il faut la quitter, il serait indécent de se plaindre. « Je voudrais », dit La Fontaine, qu' :

> On sortît de la vie ainsi que d'un banquet,
> Remerciant son hôte, et qu'on fît son paquet.
>
> (*La Mort et le Mourant*, VIII, 1.)

Le centenaire qui supplie la Mort de patienter encore avant de l'emporter (VIII, 1), se conduit en insensé, comme le malheureux bûcheron qui appelle la mort de ses vœux et qui s'effraie quand il la voit arriver (*La Mort et le Bûcheron*, I, 16). Entre la crainte et la hâte parfois d'en finir parce que la vie est trop dure, il y a place pour la sérénité. Puisque personne n'est maître de son destin et que le trépas peut survenir à tout instant, il convient de se préparer, sans peur, ni regret :

> La Mort ne surprend point le sage :
> Il est toujours prêt à partir.
>
> (*La Mort et le Mourant*, VIII, 1.)

Pourquoi redouter l'inévitable ? Le plaisir de vivre en serait gâché. Et pourquoi regretter d'avoir vécu ?

Quand le moment viendra d'aller trouver les morts,
J'aurai vécu sans soins[1], et mourrai sans remords.

(*Le Songe d'un habitant du Mogol*, XI, 4).

L'affirmation est, de nouveau, tout empreinte d'épicurisme.

La confiance en Dieu

De l'épicurisme toutefois, La Fontaine ne partage pas l'athéisme. Non seulement la Providence existe, mais elle « sait ce qu'il nous faut, mieux que nous » (*Jupiter et le Métayer*, VI, 4).

Même si les desseins de la Providence échappent aux hommes, il est ridicule de les contester. Le pauvre Garo en fait l'expérience par l'absurde (IX, 4). Il juge illogique que la Citrouille pousse au bout d'une « tige menue », alors que le Gland, « gros comme un petit doigt », pousse sur d'énormes chênes. L'inverse aurait été plus cohérent. Sur ces entrefaites, le contestataire de Dieu s'endort au pied d'un chêne : un Gland lui tombe sur le nez ! Si l'arbre avait donné des Citrouilles, l'incident aurait été plus grave. Et Garo de retourner chez lui : « En louant Dieu de toute chose. (IX, 4) »

Sur un mode plus sérieux, l'ultime fable du Livre XII (*Le Juge arbitre, l'Hospitalier et le Solitaire*) est un acte de foi dans la vie éternelle. Comment ne pas s'abandonner à Dieu et ne pas lui faire confiance ?

La conception du bonheur que véhiculent les *Fables* est ainsi pleine de lucidité, de prudence et de simplicité. Elle s'apparente à un code souriant et sage, sans excès ni grandeur. On aurait tort cependant de croire qu'il s'agit d'un bonheur passif ou trop rudimentaire. Il suppose au contraire intelligence, effort et modestie pour, dans une maîtrise de soi, mieux surmonter les contraintes de l'existence. C'est un bonheur à la mesure de l'homme, mais d'un homme que l'expérience a rendu à la fois modeste et exigeant.

---

1. *Soins* : soucis, préoccupations.

14 | Vérités et mensonges des *Fables*

À plusieurs reprises, La Fontaine qualifie la fable de « mensonge » ou de « feinte » (*Contre ceux qui ont le goût difficile*, II, 1 ; *Le Meunier, son Fils et l'Âne*, III, 1), mais c'est pour aussitôt ajouter que « sous les habits au mensonge » elle « nous offre la vérité » (*Le Dépositaire infidèle,* IX, 1). Comment comprendre cette affirmation pour le moins étonnante ? Quel qu'il soit, un « mensonge » n'a pas ordinairement pour vertu de faire découvrir la vérité. Sauf si comme le fait La Fontaine, on donne au mot « mensonge » le sens d'irréel, d'invraisemblance et de fiction. Que les *Fables* soient, comme aujourd'hui certains films de Walt Disney, sans rapport avec la réalité, ne souffre pas de contestation. Elles relèvent de la fiction littéraire, mais pour la mettre au service de la vérité et présenter leurs « mensonges » comme un idéal à atteindre.

UNE FICTION LITTÉRAIRE

L'invraisemblance de la fable est permanente, sans pour autant qu'elle soit plus forte que dans d'autres genres littéraires. C'est le privilège de l'art que d'évoluer dans l'imaginaire, le rêve ou la féerie.

▋La fable est invraisemblable

Dans son principe même, la fable est une pure invention de l'esprit. A-t-on jamais entendu des animaux parler et, de surcroît, s'exprimer comme les hommes ? Même si le fabuliste s'efforce de les décrire avec le plus d'exactitude scientifique possible, leur humanisation relève de l'imaginaire. La constitution d'une société animale sur le modèle humain, avec ses professions et ses classes sociales, ne correspond à rien de réel[1]. Et que de dire l'allégorie[2] de la Mort conversant avec un vieillard (*La Mort et le Mourant*, VIII, 1) ? De la Forêt qui « gémit » sous les coups de hache des Bûcherons (XII, 16) ? « Qui ne prendrait ceci pour un enchantement ?[3] », dit La Fontaine à propos du premier recueil de ses fables. Au XVIIe siècle, le mot « enchantement » conservait son sens originel de « magique ». Considérée sous cet angle, la fable appartient incontestablement au domaine de l'imagination et du rêve. Les rimes « songe/mensonge » qui surgissent dans *Le Dépositaire infidèle* (IX, 1, v. 32 et 34) sont assez significatives.

La fable n'est pas plus invraisemblable que d'autres genres littéraires

La fable, objecte toutefois La Fontaine, n'est pas plus mensongère que les autres formes de la littérature. L'épopée[4], explique-t-il, n'est pas plus crédible. Homère[5], qui passe pour le plus grand poète de l'Antiquité, n'hésite pas à insérer dans l'*Iliade et l'Odyssée*, des événements extraordinaires que même à son époque, nul ne prenait pour vrais. Il dépeint les dieux sur l'Olympe, les fait parler, se haïr, choisir le camp des Grecs ou des Troyens. Pourquoi le discours d'un Renard, d'un Lion ou d'un Âne serait-il moins vraisemblable que des paroles de Jupiter (II, 1) ?

Les romans héroïques[6], si fort en vogue au XVIIe siècle, parent leurs personnages de tant de qualités qu'ils deviennent des surhommes ! Est-ce acceptable ? Quant à la poésie amoureuse, les amants qui confient leurs peines ou leurs joies à la nature[7], relèvent pour une bonne part de la convention.

---

1. Sur l'organisation de la société animale, voir p. 64.

2. Sur l'allégorie, voir p. 33.

3. *Contre ceux qui ont le goût difficile*, II, 1.

4. Une *épopée* est un poème où le merveilleux se mêle au vrai, à la légende et à l'histoire, et dont le but est de célébrer un héros ou un grand événement.

5. Homère (IXe siècle avant notre ère) a écrit les deux plus grandes épopées grecques, l'*Iliade* et l'*Odyssée*, relatant la guerre de Troie et le retour des vainqueurs en Grèce.

6. Les romans héroïques étaient nombreux au XVIIe siècle. Gomberville, La Calprenède et Mlle de Scudéry en furent les principaux auteurs.

7. *Tircis et Amarante* (VIII, 13).

Discréditer les fables sous prétexte qu'elles sont invraisemblables obligerait en toute logique à condamner les diverses expressions artistiques. Ce serait absurde.

▌Les droits de la poésie

« Mensonge », la fable l'est, mais en ce sens seulement qu'elle invente ou qu'elle reconstruit le réel différemment de ce qu'il est. C'est depuis toujours le privilège de l'art, qui n'a pas à se soucier d'être une reproduction exacte de la réalité[1]. Quel en serait l'intérêt ? La poésie se propose plus volontiers de séduire son lecteur et de créer un autre monde.

La fiction sur laquelle repose le genre de la fable est précisément ce qui fait son charme. Quand elle devient, sous la plume de La Fontaine, harmonie et « gaieté », quand elle naît d'une parfaite maîtrise du langage[2], le lecteur ne peut qu'oublier l'invraisemblance originelle. Les *Fables* de La Fontaine témoignent du pouvoir du mot, de sa capacité de suggestion. Alliant qualités d'expression et richesses de l'imagination, elles sont une fête de l'esprit.

UN « MENSONGE » AU SERVICE DE LA VÉRITÉ

Bien qu'elle soit irréaliste, la fable n'oublie pourtant jamais le réel, de par son but didactique[3]. Maniant avec assurance l'allégorie[4], elle rend la vérité plus agréable à entendre et plus facile.

▌Une peinture allégorique des hommes

Par le biais des animaux, La Fontaine décrit la société de son temps et le comportement de ses contemporains. La réalité perce

---

1. Même le courant réaliste du XIXe siècle, illustré par des romanciers comme Balzac, Flaubert ou Stendhal, relève de la fiction. Il fait du faux avec du vrai, dans la mesure où chaque détail, vrai par lui-même, est conçu et orienté par rapport au sens global de l'histoire. Or dans la vie, tout ce qui arrive ne préjuge pas obligatoirement de la suite.
2. Voir p. 164.
3. *Didactique* : qui dispense un enseignement.
4. Sur l'*allégorie*, voir p. 33.

sous le voile de la fiction. Projetés dans le monde animal, les vices et les défauts deviennent plus visibles. À travers eux, les hommes se voient tels qu'ils sont. Ils découvrent de la sorte leur vérité. « Les Animaux, affirme La Fontaine dans sa dédicace du Livre XII au duc de Bourgogne, sont les précepteurs des Hommes. »

▌Une vérité plus agréable à entendre

La fiction et le « mensonge » sont par ailleurs l'ornement de la vérité. Ils permettent de mieux la comprendre et, parfois, de mieux l'accepter. Toute leçon de morale est austère, ennuyeuse et même désagréable à entendre. Or la fable ne se propose d'autre but que d'enseigner la morale. Sans l'habillage de la fiction, elle lasserait vite.

L'histoire du *Héron* (VII, 4) en fournit un exemple parfait. Le sens en est simple : trop de fierté nuit. Le conseil est abstrait. La tentation est grande de l'oublier sitôt l'avoir appris. Mais raconter l'anecdote survenue au Héron qui, sous divers prétextes, néglige successivement une carpe, une tanche, des goujons pour se résigner, faute de mieux, à dîner d'un limaçon, voilà qui parle à l'esprit. La mémoire retient l'histoire immédiatement ; et, avec elle, le conseil.

Qu'il faille s'entraider est une évidence et une exigence de solidarité. *L'Âne et le Chien* (VIII, 17) le démontre par le contraire. Un Âne refuse à un « Chien mourant de faim » de le laisser prendre un morceau de pain dans le panier qu'il porte sur son dos. Sur ces entrefaites un Loup attaque l'Âne, qui supplie le Chien de le secourir. Mais pourquoi ce dernier aiderait-il celui qui a refusé de l'aider ?

Le Pouvoir des Fables (VIII, 4) évoque le cas d'un Orateur athénien qui tentait, par des discours enflammés, d'alerter ses concitoyens sur les dangers qui menacent leur ville. Personne ne l'écoute et chacun le croit fou. Le voici qui raconte alors une fable sur la nécessité de l'entente et de l'union nationale. L'« assemblée » :

> Par l'Apologue réveillée
> Se donne entière à l'Orateur.

Des vérités plus faciles à dire

Avec La Fontaine, la fable devient un genre politiquement engagé. S'en prendre au pouvoir et aux puissants était au XVIIe siècle une entreprise risquée. La Fontaine en fit l'expérience à ses dépens. Sa fidélité à Fouquet lui valut disgrâce et exil en Limousin[1].

Le Singe dans *Le Lion, le Singe et les deux Ânes* (XI, 5) se garde bien d'enseigner à son souverain ce qu'est la justice, car il « regardait ce Lion comme un terrible sire ». Pour La Fontaine, les grands font assez de bien quand ils ne font pas de mal (*Simonide préservé par les Dieux*, I, 14). Comment dans ces conditions dénoncer, par exemple, une justice à deux vitesses ? Dans *Les Animaux malades de la peste* (VII, 1), le plus coupable y est absous parce qu'il est le plus fort ; l'innocent est condamné parce qu'il est le plus faible.

S'en prendre aux grands seigneurs, leur reprocher leur orgueil, leur oisiveté et leur inutilité sociale était également aventureux. La description d'un léopard et de sa tunique bigarrée rend l'affaire plus aisée, mais non moins pertinente :

> Ô que de grands Seigneurs, au Léopard semblables,
> N'ont que l'habit pour tous talents !
>
> (*Le Singe et le Léopard*, IX, 3.)

Sous le masque animal, la satire politique peut s'autoriser des audaces qu'une critique directe et sans fard rendrait dangereuse pour son auteur.

UN IDÉAL À ATTEINDRE

La fable n'évolue pas enfin dans l'imaginaire pour le simple plaisir de rêver. Son irréalisme est parfois très novateur. Il est un appel à se perfectionner et à prendre conscience de ce qu'on appellerait aujourd'hui les valeurs écologiques.

---

1. Voir plus haut, p. 21.

▌Un appel à se perfectionner

Le « mensonge » de la fable, précisément parce qu'elle ne se préoccupe pas de vraisemblance ni de réalisme, peut bâtir un monde parfait. C'est le propre de l'utopie[1]. Jamais accessible, elle demeure toujours tentante. Elle encourage à sans cesse mieux faire.

Nombre de fables participent de cette pédagogie active qui ne réprime ni ne sermonne, mais qui stimule et incite à se dépasser. Le Monomotapa est ainsi le pays de l'amitié véritable (*Les Deux Amis*, VIII, 11). *Les Deux Pigeons* (IX, 2) illustre la beauté de l'amour. *Les Dieux voulant instruire un fils de Jupiter* (XI, 2) dépeint le roi idéal. *Le Corbeau, la Gazelle, la Tortue et le Rat* (XII, 15) fait l'éloge de la générosité. L'ermite dans *Le Juge arbitre, l'Hospitalier et le Solitaire* (XII, 29) incarne la sagesse même.

Pour un moraliste classique, il existe deux manières de « corriger les mœurs » : ridiculiser les vices et les défauts, et imaginer un monde meilleur, qu'il propose en modèle. Les *Fables* en usent tour à tour. Mais le résultat est le même. Elles sont une invitation à se perfectionner, fût-ce par de belles fictions.

▌Un appel au respect des valeurs écologiques

Si le langage articulé des animaux est une fantaisie poétique, ce que les animaux disent n'a rien de fantaisiste. Le procès qu'ils intentent à l'homme est au contraire des plus sérieux[2]. Qui ne dénonce aujourd'hui la cruauté dont sont parfois victimes les bêtes ? Qui n'approuve la nécessité de sauvegarder les espèces ? Qui ne sent que l'homme, malgré sa supériorité intellectuelle sur les autres espèces vivantes de la planète, n'est qu'un maillon de l'immense chaîne de la vie ?

On peut sourire de ce que des arbres s'expriment. La morale de la *Forêt et le Bûcheron* (XII, 16) n'en demeure pas moins une illustration imagée et poétique de la défense de l'environnement. Qui niera que

---

1. Sur ce qu'est une *utopie,* voir 83.
2. Sur le procès qu'instruisent les animaux contre les hommes, voir p. 57.

le sujet soit d'actualité ? Il ne faudrait pas que l'homme se croie tout permis vis-à-vis de la nature, sous prétexte que ni la faune ni la flore ne sont capables d'émettre la moindre protestation.

Avec les siècles, le « mensonge » des fables se mue en des vérités dont il convient de prendre conscience.

▌L'éloge du mensonge

On comprend dans ces conditions que La Fontaine ne cesse de célébrer le genre de la fable. Même s'il avait reçu des talents plus exceptionnels, dit-il, il les consacrerait « aux mensonges d'Ésope », car « Le mensonge et les vers de tout temps sont amis » (II, 1).

La fable est pour lui « un don qui vient des immortels » (*Dédicace à Madame de Montespan*, début du Livre VII).

Le Christ usait déjà, dans les Évangiles[1], de la parabole où, sous la forme d'un récit, d'une anecdote ou d'une histoire, il dispensait son enseignement. La parabole, comme la fable, ne méconnaît pas l'irréalisme de la fiction poétique : elle n'en est pas moins importante.

Ainsi La Fontaine distingue-t-il deux sortes de « mensonges » et de « menteurs ». La première qu'il réprouve, est celle du mensonge courant, des feintes et des contrevérités. La seconde est celle des fictions artistiques, qui finissent par devenir plus vraies que la vérité :

> Et même, qui mentirait
> Comme Ésope, et comme Homère,
> Un vrai menteur ne serait.
>
> (*Le Dépositaire infidèle*, IX, 1.)

---

1. Les Évangiles relatent la vie du Christ. Ils constituent le *Nouveau Testament* qui, dans la *Bible*, succède à l'*Ancien Testament*.

15 | Les *Fables* sont-elles immorales ?

Dès leur publication, les *Fables* ont remporté un immense succès qui ne s'est depuis jamais démenti. L'admiration n'a pourtant pas été unanime. Au XVIIIe siècle, Rousseau (1712-1778) les jugeait contraires à la morale et en déconseillait la lecture aux enfants[1]. Au XIXe siècle, Lamartine (1790-1869) les estimait à son tour néfastes à la formation de jeunes esprits[2]. Les *Fables* seraient-elles donc immorales ?

En apparence, elles le semblent bien souvent, mais leur immoralité s'avère, à la réflexion, contestable. Infondé, le reproche, si l'on peut en formuler un, concernerait en définitive le pessimisme des fables.

UNE IMMORALITÉ APPARENTE

La moralité de bien des fables s'avère douteuse. Les unes s'opposent franchement à la morale, même la plus élémentaire. D'autres sont fort peu éducatives. Beaucoup enfin, n'offrent pas de perspectives exaltantes.

Des moralités incompatibles avec la morale

La fable se propose par définition de dégager d'un récit une leçon[3]. Mais force est de constater que cette leçon est parfois discutable. On lit par exemple dans *Le Loup et l'Agneau* (I, 10) que « la raison du plus fort est toujours la meilleure » – ce qui est parfaitement

---

1. Dans l'*Émile*, traité d'éducation des enfants que Rousseau écrivit en 1762.
2. Préface de 1849 aux *Méditations poétiques*.
3. Voir p. 26.

immoral. *Le Tribut envoyé par les animaux à Alexandre* (IV, 12), *Le Rat et l'Éléphant* (VIII, 15) ou *Le Loup et le Berger* (X, 5) laissent toutefois entendre le contraire : le puissant y croque toujours le plus faible ou le plus imprudent.

La caricature que La Fontaine fait des femmes peut à bon droit scandaliser. Querelleuses, avares, jalouses (*Le Mal Marié*, VII, 2), bavardes et incapables de garder une confidence (*Les Femmes et le Secret*, VIII, 6), prudes et hypocrites (*Le Mari, la Femme et le Voleur,* IX, 15), elles ne sont jamais dépeintes à leur avantage.

Certains conseils sont enfin choquants. Par exemple : « Il n'est pas malaisé de tromper un trompeur. » (*L'Enfouisseur et son compère*, X, 4.) Comme si voler un voleur n'était pas un délit !

Ou encore : c'est « double plaisir de tromper un trompeur » (*Le Coq et le Renard,* II, 15).

▌Des fables peu éducatives

Lorsqu'elles ne sont pas cyniques[1], les fables proposent une morale désenchantée, qui ne convient guère à l'éducation d'un enfant. Faut-il en effet lui faire étudier des textes qui soulignent plus les vices que les vertus ? Faut-il très tôt lui enseigner que l'homme, aussi bien que le lion, est cruel et rapace (*Les Loups et les Brebis*, III, 13) ? que la solidarité n'existe guère (*L'Oiseleur, l'Autour et l'Alouette,* VI, 15) ou que le bonheur est une chimère (*La Fille*, VII, 4) ? Les *Fables* sont peuplées d'ambitieux, de vaniteux, d'avares, d'ignorants et de sots. La fourberie apparaît comme la grande loi qui régit le monde (*Le Dépositaire infidèle*, IX, 1).

On ne peut ériger en idéal de vie ni proposer en modèles à suivre de tels comportements. Ou bien l'enfant, ne croyant plus en aucune valeur, les imitera ; ou bien il pensera que le monde est foncièrement mauvais. Dans les deux cas, son éducation sera tragiquement négative.

---

1. *Cynique* : qui ne respecte pas les conventions sociales et la morale communément admise.

▌Des perspectives peu exaltantes

Même lorsque la morale est plus positive, elle ne soulève guère l'enthousiasme. C'est une morale banale, ordinaire à l'opposé de l'héroïsme, de la joie ou du plaisir. Il convient, dit La Fontaine, de se résigner à mourir un jour (*La Mort et le Bûcheron*, I, 16), de refuser la richesse ou de s'en méfier (*Le Berger et la Mer*, IV, 2 ; *Le Savetier et le Financier*, VIII, 2), de modérer ses passions (*L'Homme et son image*, I, 11).

Il faut encore se méfier de ses ennemis (*Le Chat et le Rat*, VIII, 22), se contenter de peu et vivre à l'écart du monde dans une paisible retraite (*Le Songe d'un habitant du Mogol*, XI, 4). Voilà qui n'est pas dénué de tout bon sens et qui comporte sans doute une part de vérité. Mais quelle vision rétrécie de l'existence !

UNE IMMORALITÉ CONTESTABLE

L'immoralité des *Fables* n'est pourtant qu'apparente. Toutes ne sont pas répréhensibles. En outre, La Fontaine affiche clairement ses intentions didactiques. En fait, le débat porte moins sur l'immoralité ou la moralité des *Fables* que sur l'éternelle opposition entre idéalistes et réalistes.

▌Des fables morales

Pour étayer son accusation d'immoralité, Rousseau opère un tri dans les fables, et son tri est orienté. Autant on ne peut nier que certaines d'entre elles soient immorales, autant on est obligé d'admettre que d'autres ne le sont pas. Comment contester par exemple la moralité de ce conseil ?

> Il se faut entraider, c'est la loi de nature.
>
> (*L'Âne et le Chien*, VIII, 17.)

Comment passer sous silence l'éloge de la science (*L'Avantage de la science*, VIII, 19) et de l'éducation (VIII, 24) ? Comment ne pas admirer le « Paysan du Danube » qui, au péril de sa vie, conteste la suprématie militaire des Romains, parce qu'elle ne lui apporte que des malheurs ? Il dit en effet :

> Pourquoi venir troubler une innocente vie ?
> Nous cultivons en paix d'heureux champs, et nos mains
> Étaient propres aux Arts ainsi qu'au labourage.

> (*Le Paysan du Danube*, XI, 7.)

On ne peut qu'être touché par l'amitié parfaite qui unit les habitants du Monomotapa (*Les Deux Amis*, VIII, 11), car, dit La Fontaine :

> Qu'un ami véritable est une douce chose !
> Il cherche vos besoins au fond de votre cœur.

▌Des intentions morales clairement affichées

Le fabuliste insiste d'ailleurs à plusieurs reprises sur la valeur éducative de son œuvre. *Le Dépositaire infidèle* (IX, 1) définit la fable comme un art qui :

> Sous les habits du mensonge
> Nous offre la vérité.

La dédicace au Dauphin, placée en tête du premier recueil et celle au duc de Bourgogne[1], placée en tête du Livre XII, font des Animaux les « précepteurs des Hommes » et de la fable, un genre littéraire dont on peut tirer profit.

La Fontaine en donne lui-même l'exemple. C'est pour former le jeune duc du Maine[2] qu'il écrit *Les Dieux voulant instruire un fils de Jupiter* (XI, 2). *Le Vieux Chat et la jeune Souris* (XII, 5) est composé à l'intention du duc de Bourgogne. La Fontaine s'est donc servi de fables pour éveiller de jeunes esprits. Le Livre XII s'achève enfin sur un appel à se connaître soi-même, que le fabuliste propose à tous :

> Cette leçon sera la fin de ces Ouvrages :
> Puisse-t-elle être utile aux siècles à venir !

> (*Le Juge arbitre, l'Hospitalier et le Solitaire*, XII, 29.)

---

1. Petit-fils de Louis XIV, le duc de Bourgogne a 12 ans au moment de la publication du Livre XII.
2. Fils de Louis XIV et de Madame de Montespan, le duc du Maine, né en 1670, a 9 ans quand la fable est imprimée. Il passait pour un enfant prodige.

Comment cela serait-il possible, si les fables étaient totalement immorales ?

Une opposition entre idéalistes et réalistes

En fait, La Fontaine ne décrit pas le monde tel qu'il devrait être, mais tel qu'il est, avec ses qualités et ses défauts. En bon moraliste, il observe les mœurs de ses contemporains, et il les analyse. Cela ne signifie pas qu'il les approuve ou qu'il les justifie. Pas plus que Molière, écrivant *L'Avare* (1668), souhaite nous faire aimer ou admirer Harpagon, La Fontaine ne désire nous rendre ambitieux, cupides ou vaniteux. Les morales qu'il tire de ses fables fonctionnent comme des mises en garde.

Ainsi, lorsque La Fontaine affirme que chacun a « dans sa tête un petit grain d'ambition », il veut nous prévenir contre les conséquences de nos désirs.

L'idéal classique était de corriger les mœurs en divertissant. La Fontaine s'y rallie totalement. Le reproche d'immoralité recouvre en définitive un autre débat : celui qui oppose en permanence idéalistes et réalistes. Pour les premiers, seuls comptent les exemples positifs, que l'on peut suivre. Les seconds croient que même d'une erreur, d'un vice ou d'un défaut, on peut toujours tirer un bien. D'où la nécessité de les dépeindre. La Fontaine appartient à cette dernière catégorie. C'est donc presque commettre un contresens sur ses intentions et sur son œuvre que de lui faire grief d'immoralisme.

UNE MORALE PESSIMISTE

Il n'en reste pas moins que La Fontaine prône souvent une morale utilitaire. Elle ne tend pas à rendre l'homme meilleur, mais simplement mieux armé pour se guider dans l'existence. C'est une morale sans illusions et sans panache.

Une morale sans illusions

La Fontaine constate que l'homme étant un « animal » comme les autres (VIII, 4, v. 44), il est soumis à la loi de la jungle. Aussi ses préceptes sont-ils pratiques. Il est inutile de parler aux grands car « la raison les offense ». La seule solution est donc de leur « parler de loin, ou bien de se taire » (*L'Homme et la Couleuvre*, X, 1).

L'hypocrisie lui semble non une vertu, mais un pis-aller inévitable. C'est parfois le seul moyen de survivre. Le Renard en fait la rude expérience. Accusé par le Loup de ne pas faire sa cour auprès du Lion, il déclare être allé en pèlerinage et avoir prié pour la santé du roi. Il ment sciemment et joue à l'hypocrite, mais il sauve sa vie (*Le Lion, le Loup et le Renard,* VIII, 3).

Ce qui est vrai des rapports humains l'est encore plus des rapports entre nations. Les petits États ne sauraient rester indépendants et maîtres chez eux : ou bien ils s'allient à un État plus puissant, qui certes les protégera, mais qui aliénera leur liberté ; ou bien ils sont condamnés à disparaître. Le plus sage est, dans ces conditions, de bien choisir son protecteur. C'est peut-être regrettable, mais ainsi marche le monde.

▌Une morale sans panache

C'est qu'au fond La Fontaine ne croit pas au progrès moral de l'homme. Incapable de s'amender et de modifier sa nature, celui-ci, pense-t-il, ne peut corriger durablement ses défauts. Le naturel finit toujours par revenir au galop. À preuve, l'ingratitude foncière de l'homme envers le sort :

> On a toujours raison, le destin toujours tort.
>> (*L'Ingratitude et l'Injustice des hommes envers la Fortune*, VII, 13.)

L'excuse est facile ; et pourtant elle est constante. La même ingratitude se manifeste envers nos semblables :

> On nous voit tous, pour l'ordinaire,
> Piller le survenant, nous jeter sur sa peau.
>> (*Discours à Monsieur le duc de La Rochefoucauld*, X, 14.)

Tel est encore le cas envers les animaux et la nature que l'homme exploite[1]. La Fontaine observe sur un ton à la fois amer et désabusé :

---

1. Voir p. 59

Voilà le train du Monde, et de ses Sectateurs[1].
On s'y sert du bienfait contre les bienfaiteurs.

(*La Forêt et le Bûcheron*, XII, 16.)

À cette situation qui lui semble immuable, La Fontaine tente de s'adapter. Ni révolutionnaire ni conservateur, il élabore une morale du moindre mal et du moindre coût. Plus que sa supposée immoralité, c'est son pessimisme qu'on pourrait lui reprocher. Mais le pessimisme échappe au champ de l'éthique[2]. C'est affaire de caractère. De lucidité, diront les uns ; d'un manque de confiance dans les capacités humaines, objecteront les autres.

Dans la *Préface* de 1849 à ses *Méditations poétiques*, Lamartine écrit : « Les fables de La Fontaine sont plutôt la philosophie dure, froide et égoïste d'un vieillard que la philosophie aimante, généreuse, naïve et bonne d'un enfant : c'est du fiel, ce n'est pas du lait pour les lèvres et pour le cœur de cet âge. »

À certains égards, la remarque de Lamartine est exacte ; mais le jugement qui la sous-tend l'est beaucoup moins. Ce n'est pas en effet La Fontaine qui est en cause, ni sa « philosophie », c'est le monde, avec ses duretés, ses vices et ses défauts. Reproche-t-on à un miroir les imperfections de l'objet qu'il reflète ?

---

1. *Sectateurs* : partisans.
2. L'*éthique* (= la morale) est la science qui se préoccupe de définir ce que sont le Bien et le Mal.

16 | Comment se présente la morale des *Fables* ?

La fable se compose traditionnellement de deux parties distinctes : un récit et la morale qui s'en dégage. Elles sont en principe indissociables. Sans le récit, la morale se réduit en effet à une maxime[1]. Sans la morale, le récit devient un conte[2].

Inséparables, ces deux parties ne se situent pourtant pas sur le même plan. Dans une fable, la morale prime sur le récit ; elle est l'élément le plus important ; le récit qui l'introduit ne tend qu'à la rendre plus agréable au lecteur. Plus qu'aucun autre genre littéraire, la fable vise à instruire en plaisant.

Aussi convient-il de s'interroger sur l'expression de cette morale. Quelles formes prend-elle ? Où se situe-t-elle dans le récit ? Comment s'articule-t-elle avec celui-ci ?

LES FORMES DE LA MORALE

Ses aspects sont fort variés. On peut les regrouper en trois catégories. Ce sont tantôt des conseils généraux, tantôt des constatations d'expérience, tantôt des leçons en apparence immorales.

Des conseils généraux

La morale des fables se confond parfois avec un précepte de portée universelle. Fruit du bon sens, elle expose une ligne de conduite, valable en tous temps. À chacun, selon les circonstances ou la situation dans laquelle il se trouve, d'en imaginer alors l'application pratique.

---

1. Une *maxime* est une pensée exprimée de manière très condensée.
2. Un *conte* possède également une valeur morale. Mais, à la différence de la fable, il ne l'exprime pas ; la morale reste à l'état implicite.

Le Chat et un vieux Rat (III, 18) s'achève par exemple sur ce constat qui a valeur de conseil :

> […] La méfiance
> Est mère de la sûreté.

De même, *L'Ours et l'Amateur des jardins* (VIII, 10) débouche sur une utile mise en garde :

> Rien n'est si dangereux qu'un ignorant ami ;
> Mieux vaudrait un sage ennemi.

Quant à *L'Âne et le Chien* (VIII, 17), la fable se clôt par cette généreuse remarque : « Il faut qu'on s'entraide. »

Des constatations d'expérience

Il arrive aussi que la morale se borne à constater un fait, une attitude ou un comportement sans formuler à leur propos le moindre jugement de valeur.

Le fabuliste observe ainsi dans *La Lice et sa Compagne* (II, 7) :

> Ce qu'on donne aux méchants, toujours on le regrette.

Le Rat et l'Huître (VIII, 9) se termine sur une formule passée depuis en proverbe :

> […] tel est pris qui croyait prendre.

Ainsi que *Le Milan et le Rossignol* (IX, 18) :

> Ventre affamé n'a point d'oreilles.

Ou *L'Enfouisseur et son Compère* (X, 4) :

> Il n'est pas malaisé de tromper un trompeur.

Des leçons en apparence immorales[1]

La morale d'une fable peut enfin résider dans une leçon qui n'a rien de moral. Le paradoxe n'est qu'apparent. Constater un défaut ou un vice n'implique pas en effet qu'on l'approuve. La fin des

---

1. Sur la question de la *moralité* ou de l'*immoralité* des fables, voir p. 124.

Animaux malades de la peste (VII, 1) est à cet égard significative :

> Selon que vous serez puissant ou misérable,
> Les jugements de Cour vous rendront blanc ou noir.

Moralement, cette justice à deux vitesses est répréhensible. La fable ne la défend pas, tout le récit prouve le contraire. Elle enregistre que ce type de justice existe.

Dans *La Cour du Lion* (VII, 6), La Fontaine écrit ces vers plus étonnants encore, à l'adresse des courtisans :

> Ne soyez à la Cour, si vous voulez y plaire,
> Ni fade adulateur, ni parleur trop sincère ;
> Et tâchez quelquefois de répondre en Normand[1].

Les Obsèques de la Lionne (VIII, 14) semble inciter à la flatterie. Il faut « amuser » les rois par « d'agréables mensonges » : « Ils goberont l'appât, vous serez leur ami. »

Prises au pied de la lettre et détachées de leur contexte, ces morales choquent. La Fontaine se comporterait-il en vil courtisan ? Évidemment non. Il ne fait que décrire les habitudes et les nécessités de la vie de cour.

Contrairement à une opinion souvent répandue, la fonction première d'un moraliste n'est pas de distribuer de bons conseils. Elle consiste surtout à dépeindre les mœurs de son temps. La peinture peut déplaire ou heurter. Elle n'en demeure pas moins un miroir du réel. La morale des fables remplit ce rôle. Elle procède du regard d'un moraliste, non d'un sermonneur.

LA PLACE DE LA MORALE
DANS LES *FABLES*

Variée dans ses formes, la morale l'est aussi dans ses modalités d'apparition. Pour éviter la monotonie, La Fontaine la place à tous les endroits possibles de ses fables : après le récit ; avant le récit ; et, parfois, au milieu de celui-ci.

---

1. « Répondre en Normand » : répondre sans s'engager, par ni oui ni non.

La morale clôturant le récit

C'est, depuis Ésope[1], l'ordre logique et traditionnel. La morale remplit alors deux fonctions.

– Ou bien elle généralise la portée du récit. *La Laitière et le Pot au lait* (VII, 9) raconte ainsi l'histoire de Perrette. La voici se rendant au marché vendre son lait. En pensée, elle énumère déjà ce qu'elle s'achètera avec le produit de la vente. De plus en plus de choses ! N'est-ce pas le début de la fortune ? Mais la malheureuse glisse, le pot au lait se brise et, avec lui, tous les rêves. La morale élargit le sens de l'anecdote. Perrette est chacun de nous. Qui n'a en effet jamais bâti de « châteaux en Espagne » qui se sont écroulés au moindre souffle ?

Cette généralisation s'observe dans bon nombre de fables : par exemple dans *L'Âne chargé d'éponges et l'Âne chargé de sel* (II, 10), *La Grenouille et le Rat* (IV, 11), *L'Ours et l'Amateur des jardins* (VIII, 10), *Le Cochon, la Chèvre et le Mouton* (VIII, 12), *L'Âne et le Chien* (VIII, 17) ou *Le Chat et le Renard* (IX, 14).

– Ou bien à l'inverse, la morale restreint parfois le récit en l'appliquant à des cas précis. Tantôt il s'agit d'un groupe social, lorsque la fable obéit à une intention satirique[2]. La leçon qui se dégage du *Conseil tenu par les Rats* (II, 2), du *Renard et le Buste* (IV, 14), des *Animaux malades de la peste* (VII, 1), de *La Cour du Lion* (VII, 6) ou du *Lion, le Loup et le Renard* (VIII, 3) ne vise que les courtisans[3]. Tantôt seuls sont concernés les chefs d'État. Dans *Le Bassa et le Marchand* (VIII, 18), La Fontaine explique qu'il vaut mieux s'allier à un puissant roi que de « s'appuyer sur plusieurs petits princes[4] ». Tantôt c'est un vice qui est dénoncé. À force de virevolter autour des chevaux, la Mouche a la sotte impression de faire avancer le coche (VII, 8). Ainsi font les empressés et les importuns. Ils s'imaginent indispensables, alors qu'ils sont inutiles.

---

1. Sur Ésope, voir p. 27.
2. Sur la satire sociale, voir p. 84.
3. Sur les critiques adressées aux courtisans, voir p. 84.
4. Sur la politique, voir p. 93.

La morale précédant la fable

Le procédé est plus rare. Le sens de la fable est alors immédiatement révélé au lecteur. Le récit illustre l'idée générale, exprimée dès le début.

Le Loup et l'Agneau (I, 10) débute par cette affirmation : « La raison du plus fort est toujours la meilleure. » Le récit en donne ensuite l'illustration. Bien qu'il soit innocent, l'Agneau est dévoré par le Lion parce qu'il ne sait ni ne peut se défendre. *L'Homme qui court après la Fortune et l'Homme qui l'attend dans son lit* (VII, 11) s'ouvre sur cette interrogation du fabuliste : « Qui ne court après la fortune ? » Et le récit de détailler les méfaits et les dangers de l'ambition. *La Mort et le Mourant* (VIII, 1) définit un idéal philosophique résumé dans le premier vers : « La Mort ne surprend point le sage. » La suite de la fable développe pourquoi. La même technique réapparaît dans *L'Âne et le petit Chien* (IV, 5), qui débute par ces mots :

> Ne forçons point notre talent,
> Nous ne ferons rien avec grâce.

L'historiette le montre ensuite. L'Âne essaie de se montrer gracieux et aimable envers son maître. Mais ce n'est qu'un « lourdaud ». Aussi est-il maladroit dans ses démonstrations d'affection. Et pour toute récompense, il reçoit force coups de bâton !

La morale à l'intérieur de la fable

Il arrive enfin que la morale interrompe le récit. *Le Héron, la Fille* (VII, 4) est une longue fable, comportant un double récit, l'un mettant en scène un Héron, l'autre une Fille. Le premier dédaigne des poissons trop petits pour constituer son déjeuner. La seconde méprise des prétendants trop mal faits pour qu'elle en épouse un. Tous deux se retrouvent à la longue sans rien ni personne. Le Héron est finalement trop heureux de se contenter d'une limace pour son repas ; et la Fille, de prendre un « malotru » pour mari. La morale se situe à la charnière des deux récits : « Gardez-vous de rien dédaigner. »

L'Horoscope (VIII, 16) procède d'un schéma identique. La condamnation de l'astrologie intervient entre le récit de la mort du poète Eschyle et l'histoire d'un Berger.

L'ARTICULATION DE LA MORALE ET DU RÉCIT

Quelles que soient la forme et la place de la morale, il convient enfin de déterminer comment la leçon s'articule avec le récit. Les liens sont, tour à tour, déductifs, analogiques ou contradictoires.

▌Un rapport déductif

C'est le lien le plus logique et le plus courant. La morale découle en droite ligne du récit. Deux cas toutefois se présentent.

– Tantôt le lien est expressément souligné. Après avoir raconté, dans *Le Lion et le Moucheron* (II, 9), comment une Mouche, malgré sa petite taille, peut violemment importuner un Lion, le fabuliste s'interroge :

> Quelle chose par là nous peut être enseignée ?
> J'en vois deux, dont l'une est qu'entre nos ennemis
> Les plus à craindre sont souvent les plus petits…

Le rapport de cause à effet est fortement marqué. De même, après avoir évoqué le conflit de territoire qui oppose la belette et le petit lapin (VII, 15), le fabuliste commente :

> Ceci ressemble fort aux débats qu'ont parfois
> Les petits souverains se rapportant aux Rois.

La morale débute de la même façon dans *Le Bassa et le Marchand* (VIII, 18) : « Ceci montre… ».

– Tantôt, le rapport déductif n'est pas formulé, parce qu'il s'impose de lui-même. Prenons par exemple *Le Savetier et le Financier* (VIII, 2). Ne se souciant guère du lendemain, le Savetier chante du matin au soir. Le Financier, son voisin, se ronge au contraire de soucis pour bien gérer sa fortune. Il donne de l'argent au Savetier pour qu'il se taise. Le malheureux accepte. Le voilà plongé dans l'inquiétude d'être volé. Moralité : l'argent ne fait pas le bonheur. La fable se termine sur ces mots du savetier au financier : « Reprenez vos cent écus. » Point n'est besoin de conclure davantage. Le récit parle de lui-même.

▊ Un rapport analogique

Entre la morale et le récit, peut également s'établir un rapport d'analogie, de ressemblance. Le sens du récit demeure vague, parce qu'il est susceptible de plusieurs interprétations. La morale en sélectionne une, en fonction du plus grand degré de ressemblance entre les personnages et les lecteurs.

Soit, par exemple, *Le Coche et la Mouche* (VII, 8). La morale fait la satire des empressés et des importuns. Pourquoi s'en prendre précisément à eux ? Parce qu'ils virevoltent et vont en tous sens, exactement comme la Mouche.

Le Rat et L'Huître (VIII, 9) comporte deux morales. La première transpose le thème de l'inexpérience : elle l'applique aux hommes, alors que le récit campe un animal. La seconde opère un rapprochement entre les deux sens du mot « piège ». Au sens figuré, celui-ci désigne tout ce qui permet matériellement d'attraper quelqu'un. Dans un sens plus large, le mot renvoie à une ruse, à une intrigue finement élaborée. La morale joue alors sur les analogies de situation.

▊ Un rapport contradictoire

Plus inattendu est le cas où la morale contredit le récit. L'effet de surprise est alors évident. Dans *Le Cochon, la Chèvre et le Mouton* (VIII, 12), le lecteur donne d'abord raison au Cochon de hurler, puisqu'on le conduit à l'abattoir et qu'il le sait. La Chèvre et le Mouton qui se taisent paraissent stupides de ne pas pressentir leur mort prochaine. Le fabuliste prend pourtant le contre-pied des lecteurs :

> […] quand le mal est certain
> La plainte ni la peur ne changent le destin.

Le Cochon a donc tort. Hurler ne lui sert de rien.

La contradiction entre la morale et le récit peut provenir d'une intention ironique[1]. *Le Rat qui s'est retiré du monde* (VII, 3) dénonce le manque de charité des moines qui, par profession et vocation, devraient secourir les gens en détresse Or La Fontaine feint de ne pas viser les moines, mais des religieux turcs, car, dit-il :

Je suppose qu'un Moine est toujours charitable.

Comme le récit vient de souligner le contraire, l'ironie est évidente ; et la contradiction n'est donc ici qu'apparente.

Par son intention didactique[2], la fable encourt le risque de l'ennui, de la monotonie ou du pédantisme[3]. Ces écueils, La Fontaine les évite par la variété et la diversité de ses morales.

---

1. Sur l'*ironie*, voir p. 151.
2. Est *didactique* ce qui vise à enseigner.
3. Le *pédantisme* consiste à dispenser un savoir de manière lourde et hautaine.

17 | Des *Fables* théâtrales ?

Dans *Le Bûcheron et Mercure* (V, 1), La Fontaine définit ses fables comme une « ample comédie à cent actes divers ». Le mot comédie désignant au XVIIᵉ siècle toutes les pièces de théâtre en général[1], la question se pose donc de savoir quels rapports peuvent exister entre ces deux genres littéraires, d'apparence si dissemblables, que sont la fable et le théâtre.

Conclure à leur similitude absolue serait certes hâtif. Toutes les fables ne s'apparentent pas au théâtre[2]. Mais un nombre assez considérable d'entre elles s'organise effectivement comme des pièces de théâtre. Elles en possèdent la structure ; elles visent à créer l'illusion du vrai ; et certaines sont soit de véritables comédies soit d'authentiques tragédies.

UNE STRUCTURE THÉÂTRALE

La dramaturgie[3] classique codifie la construction d'une pièce, qu'il s'agisse d'une comédie ou d'une tragédie. Trois temps caractérisent ordinairement celle-ci : l'exposition, la progression de l'action et le dénouement. Cette organisation se retrouve à maintes reprises dans les fables.

---

1. Aujourd'hui encore, on parle de la *Comédie française*, théâtre parisien où l'on joue aussi bien des comédies que des tragédies.
2. Il est évident que les fables philosophiques comme, par exemple, les *Discours* (fin du Livre IX et X, 14), ne sont pas des petites pièces de théâtre.
3. La *dramaturgie* désigne l'ensemble des règles et des techniques qu'un auteur applique pour construire une pièce.

L'exposition

Au théâtre, l'exposition a pour fonction d'informer le spectateur des données nécessaires à la compréhension de l'intrigue. Elle en pose les bases. Pour ne lasser ni choquer le public, elle doit être rapide et vraisemblable. Les fables obéissent aux mêmes contraintes.

La Fontaine est passé maître dans l'art de la concision. Quelques mots lui suffisent pour lancer son récit. Deux vers constituent l'exposition des *Loups et les Brebis* (III, 13) :

> Après mille ans est plus de guerre déclarée,
> Les loups firent la paix avecque les brebis.

L'action est lancée : ce sera d'une fausse paix, qui se terminera par la mise à mort des brebis.

Sur un registre plus grave, *Le Lion, le Loup et le Renard* (VIII, 3) expose la situation initiale avec la même rapidité :

> Un Lion décrépit, goutteux[1], n'en pouvant plus
> Voulait que l'on trouvât remède à la vieillesse.

Sobrement, tout est dit : la peur de mourir, l'impossibilité de recouvrer la santé, l'échec prévisible des traitements médicaux. Ces expositions, brèves et nettes, sont fréquentes. Elles figurent dans les fables I, 5, 13, 16 ; II, 2,4,19 ; IV, 3 ; V, 20 ; VI, 5 ; VIII, 6, 7, 8, 11, 14 ; IX, 2, 4, 13, 15 ; X, 4, 12 ; XI, 1, 5, 7.

Toutes observent en outre la plus stricte vraisemblance. Quoi de plus naturel que deux Coqs se disputent une Poule, ou qu'un malade souhaite guérir ?

La progression de l'action

L'action des fables est par ailleurs soumise aux mêmes impératifs que l'action d'une pièce. Elle est progressive. On peut la découper en actes, ou si l'on préfère, en séquences. Chaque étage renchérit

---

1. *Goutteux* : atteint de la maladie de la goutte, provoquant des handicaps articulaires.

sur la précédente, en apportant un élément nouveau et, souvent, aggravant. Étudions par exemple la progression dans *La Laitière et le Pot au lait* (VII, 9) :

– Exposition (v. 1-6) : Perrette se rend à la ville vendre son lait.

– Acte I (v. 7-21) : Perrette rêve à ce qu'elle s'offrira avec l'argent de la vente de son lait.

– Acte II (v. 22-23) : Perrette glisse, le lait se répand à terre, son rêve se brise.

– Acte III (v. 24-29) : Perrette, craignant d'être battue, rentre à la ferme s'excuser auprès de son mari.

– Moralité (v. 30-43) : La Fontaine tire la leçon du récit. Chacun, comme Perrette, bâtit des rêves merveilleux, qui s'évanouissent au premier incident. On est d'autant plus triste que l'on avait imaginé un bonheur fou.

▌Le dénouement

Comme dans une pièce de théâtre, le dénouement des fables est bref et complet. Conservons l'exemple de Perrette. Un seul vers résume et condense son malheur :

> Le lait tombe : adieu, veau, vache, cochon, couvée.

Le Savetier, à qui le souci de veiller sur sa soudaine fortune a fait perdre le sommeil, s'en va revoir le Financier qui l'a enrichi :

> Rendez-moi, lui dit-il, mes chansons et mon somme,
> Et reprenez vos cent écus.
>
> (*Le Savetier et le Financier*, VIII, 2.)

De la même façon, le récit de *Le Milan et le Rossignol* (IX, 18) se clôt sur une fin rapide et précise. Un Milan affamé capture un Rossignol. Celui-ci, en échange de la vie sauve, lui promet de chanter pour son plaisir. La conclusion ne se fait pas attendre. Le Milan croque le Rossignol, car, dit-il :

> Ventre affamé n'a point d'oreilles.

Beaucoup de fables de La Fontaine s'organisent donc comme des pièces de théâtre.

Toute pièce classique tend par ailleurs à entretenir le spectateur dans l'illusion qu'il assiste non pas à la représentation d'une œuvre de fiction, mais au déroulement sur scène d'une histoire réelle. À leur façon, les fables engendrent cette illusion du vrai. Dès lors que leur lecteur accepte le postulat du langage animal[1], les scènes décrites s'imposent à l'esprit avec une force et une vérité voisines de la vraisemblance théâtrale.

Des récits animés et vivants

La Fontaine sait donner aux histoires qu'il conte un tour vif et séduisant. Tel un dramaturge, il délègue la parole à ses personnages pour créer de véritables saynètes[2].

Tantôt surgissent les monologues. Ne pouvant cueillir des raisins parce qu'ils sont hors de sa portée, un Renard feint de ne pas en vouloir :

> Ils sont trop verts, dit-il, et bons pour des goujats.
>
> (*Le Renard et les Raisins*, III, 11.)

Dédaigneux, le Héron refuse de dîner trop simplement :

> Moi, des Tanches ? dit-il, moi Héron que je fasse
> Une si pauvre chère ? et pour qui me prend-on ?
>
> (*Le Héron*, VII, 4.)

Tantôt s'instaurent de fréquents dialogues entre, par exemple, le Loup et le Chien (I, 5), le Loup et l'Agneau (I, 10), le Coq et le Renard (II, 15), entre l'Homme et le Cheval (IV, 13), entre l'« Homme qui court après la Fortune et l'Homme qui l'attend dans son lit » (VII, 11) ; entre un « trafiquant » et son ami (VII, 13) ; entre « le Chat la Belette et le petit Lapin » (VII, 15) ; entre « le Savetier et le Financier » (VIII, 2).

---

1. C'est la condition de départ : tout lecteur de fable doit admettre que les animaux s'expriment comme les humains ; de même que de nos jours, tout spectateur d'un film de science-fiction admet que des faits réputés impossibles peuvent se produire.
2. *Saynète* : petite pièce très courte, qui s'apparente de nos jours au sketch.

Un chœur, comme dans les tragédies grecques, se fait parfois même entendre. Dans *Les Animaux malades de la peste* (VII, 1), l'Âne provoque l'indignation générale :

> Manger l'herbe d'autrui ! quel crime abominable !

Ce recours au style direct suscite une totale impression de vérité.

Des fables à jouer comme des pièces de théâtre

Il s'ensuit qu'à quelques adaptations près, certaines fables peuvent être interprétées comme un texte théâtral. Tenant le rôle du récitant, un acteur peut dire ce qui relève de la narration pour laisser ensuite la place à une véritable représentation.

Prenons le cas de *La Mort et le Mourant* (VIII, 1). La première partie de la fable (v. 1-24) doit être récitée pour camper le décor et la situation : « La Mort ne surprend point le sage […]. » La seconde partie peut se jouer, puisqu'il s'agit d'un long dialogue entre la « Mort » et un Vieillard.

Les fables qui imitent la procédure judiciaire, avec intervention d'un accusateur et d'un avocat, ou d'un accusé et de sa victime, se prêtent encore plus naturellement à la mise en scène. Elles sont nombreuses : *Les Animaux malades de la peste* (VII, 1) ; *Le Chat, la Belette et le petit Lapin* (VII, 15) ; *L'Huître et les Plaideurs* (IX, 9) ; *L'Homme et la Couleuvre* (X, 1), pour ne citer que les principales.

Des récits vraisemblables et logiques

La représentation théâtrale des fables n'est toutefois possible qu'avec un minimum de cohérence interne, sans quoi le spectacle deviendrait peu crédible. Or qu'il s'agisse d'un animal, d'un homme ou d'une plante, chaque personnage possède sa psychologie propre qui, comme au théâtre, se révèle dans ses paroles.

Le caractère flatteur du Renard transparaît dans ses louanges excessives. Au Lion qui s'accuse d'avoir mangé un berger, il réplique :

> Vos scrupules font voir trop de délicatesse.
>
> (*Les Animaux malades de la peste*, VII, 1.)

L'hypocrisie du « Rat qui s'est retiré du monde » (VII, 3) éclate dans le contraste entre son physique « gros et gras » et la vie de « reclus » qu'il prétend mener. Celle de Tartuffe, dans la comédie de Molière, ne se devine pas autrement…

Ainsi, d'emblée posé, le caractère des personnages commande toute l'action ; et les événements découlent logiquement les uns des autres.

> Certaine fille un peu trop fière
> Prétendait trouver un mari
> Jeune, bien fait et beau, d'agréable manière.
>
> (*La Fille*, VII, 4.)

Tout part de cet excès de fierté. La belle récuse successivement tous ses prétendants pour, l'âge venant, épouser le premier venu, de peur de mourir vieille fille. L'épouse du « mal marié » (VII, 2) demeure la « querelleuse » qu'elle est de nature, sans jamais rien apprendre de l'expérience. Son mauvais caractère la condamne. Ainsi, comme au théâtre, chaque parole ou chaque acte des personnages se répercutent sur le comportement des autres. À la réflexion, le phénomène n'a pas de quoi étonner. La vraisemblance s'inscrit au cœur de l'idéal classique. Son exigence s'imposait à tous les auteurs, qu'ils fussent dramaturges ou fabulistes.

DES FABLES EN FORME DE COMÉDIE ET DE TRAGÉDIE

Les fables enfin s'apparentent soit à des comédies soit à des tragédies.

Des fables-comédies

Au XVIIe siècle, la comédie se définit selon deux critères essentiels : elle met en scène des personnages ordinaires, et elle se termine gaiement.

Tel est le cas de *L'Homme entre deux âges et ses deux Maîtresses* (I, 17) ou du *Mal Marié* (VII, 12) qui repose sur le principe, traditionnel dans la farce[1], de la mésentente de l'homme et de la femme ; ou du *Coche et la mouche* (VII, 8), qui est une illustration du thème de l'importun[2].

Les mécanismes comiques sont ceux que tout auteur de comédies utilise. C'est le renversement de situation, qui aboutit au but inverse de celui qui était recherché. Mais comme le résultat s'avère sans gravité et que le personnage se trouve ainsi pris à son propre défaut, le lecteur ne peut que sourire.

Par exemple, plus un personnage cherche la fortune, moins il la trouve. Ce n'est que lorsqu'il renonce à sa quête qu'il s'enrichit (VII, 11). Le procédé du trompeur trompé et sa variante, le voleur volé, provoque immanquablement le rire (*Le Voleur et l'Âne*, I, 13 ; *Le Renard et la Cigogne*, I, 18 ; *Le Coq et le Renard*, II, 15 ; *La Grenouille et le Rat*, IV, 11, *L'Enfouisseur et son compère*, X, 4 ; *Le Dépositaire infidèle*, IX 1). De même, le spectacle d'un poltron a toujours amusé (*Le Loup et le Chien maigre*, IX, 10).

On ne peut enfin s'empêcher de comparer certaines fables avec des comédies existantes. *L'Huître et les Plaideurs* (IX, 9), qui est une satire de la justice, rappelle d'autant plus la comédie des *Plaideurs* (1668) de Racine que le personnage porte le même nom, Perrin. *Le Singe et le Léopard* (IX, 3) évoque les boniments de foire et les spectacles qui se donnaient couramment dans les rues des grandes villes.

▌Des fables-tragédies

D'autres fables appartiennent en revanche à l'univers de la tragédie. Ici et là, ce sont les mêmes caractéristiques : sujet grave, personnages nobles et puissants, fin dramatique.

C'est le cas de plusieurs fables du Livre VII par exemple. L'enjeu est à chaque fois important et sérieux. Comment vaincre la peste (VII, 1) ? Comment éviter la terrible colère du Lion tout-puissant (VII, 6) ?

---

1. La *farce* est une petite pièce comique, souvent fondée sur le thème du cocuage.
2. Sur ce thème, Molière a écrit en 1661 une comédie intitulée *Les Fâcheux*.

Ou comment échapper au Vautour (VII, 7) ? Le Livre VIII présente des allégories inquiétantes : la Mort (VIII, 1) ; ou des êtres qui inspirent une certaine horreur, tel « l'Ours montagnard » (VIII, 10). Et comment ne pas frémir devant l'aveuglement ou la légèreté du sort qui se trompe de victime et qui pousse à se pendre non celui qui désespère de la vie mais celui qui la savoure (IX, 16) ? Et La Fontaine de conclure, parlant de la Destinée qui règle l'existence des hommes :

> Plus le tour est bizarre, et plus elle est contente.
>
> (*Le Trésor et les deux Hommes*, IX, 16.)

L'idée d'une divinité se réjouissant du malheur des hommes ne peut que terrifier.

Comme souvent dans les tragédies, la fable se termine mal, sur une mort d'autant plus pitoyable que c'est celle d'une victime innocente. Pauvre et sans force, le Cerf est condamné à mourir de faim (*Le Cerf malade*, XII, 6). L'Âne paie de sa vie son infériorité devant le Lion, l'Ours et le Tigre. Il est le moins coupable, mais le plus faible ! (*Les Animaux malades de la peste*, VII, 1).

En transformant certaines de ses fables en petites pièces de théâtre et en usant des mêmes techniques que les dramaturges, La Fontaine évite l'écueil inhérent à toute leçon de morale. Même fondée, celle-ci peut en effet facilement paraître fastidieuse. L'animation et la dramatisation du récit rendent au contraire la moralité plaisante et plus facile à lire.

18 | Humour, ironie et comique

Autant et, peut-être, plus que par la nouveauté de leurs thèmes, les *Fables* charment par leur ton et leur style. Cet agrément n'allait pas de soi. La fonction didactique du genre, postulant la primauté du fond sur la forme, semblait même l'exclure. Dès ses premières fables, La Fontaine ressent pourtant le besoin de les égayer. « On veut de la nouveauté et de la gaieté », écrit-il dans la *Préface* du premier recueil (Livres I-VI). Par « gaieté », il n'entend pas « ce qui excite le rire » mais « un air agréable qu'on peut donner à toutes sortes de sujets, même les plus sérieux ».

Cet « air » se retrouve dans les livres ultérieurs des fables. Humour, ironie et comique s'allient pour conférer aux fables un aspect léger et enjoué.

Ces trois notions s'avèrent délicates à analyser, tant elles sont voisines et fluctuantes. Si l'humour et l'ironie font partie du comique, le comique n'est pas nécessairement ironique ou humoristique. Aussi conviendra-t-il à chaque fois d'en établir des définitions claires avant d'en étudier les procédés techniques.

L'HUMOUR DANS LES FABLES

Définition de l'humour

L'humour ne se confond pas avec la plaisanterie. C'est un élément, non obligatoire, rajouté à la plaisanterie. C'est une manière élégante, concise et spirituelle de formuler quelque chose déjà plaisant par lui-même. L'humour touche donc à une expression particulière du comique. C'est le plaisant de la plaisanterie, une certaine façon de rendre encore plus enjoué ce qui est amusant.

Prenons un exemple, emprunté aux fables elles-mêmes. Dans *Le Rat et l'Huître* (VIII, 9), un rat part à la découverte du monde. Comme il n'avait jamais auparavant quitté son « champ », il s'étonne du moindre spectacle, qu'il interprète de travers. Une taupinière lui semble une montagne. Sa naïveté est plaisante. Le personnage du naïf est d'ailleurs traditionnel dans la comédie. Mais La Fontaine ajoute, pour expliquer la candeur de son Rat, qu'il n'était pas :

> [...] de ces Rats qui les livres rongeants
> Se font savants jusques aux dents.
>
> (*Le Rat et l'Huître*, VIII, 9.)

De ces deux vers naît soudain l'humour, par un entrechoquement de sens. Une personne qui lit beaucoup et qui vit dans les livres s'appelle en effet, dans le langage courant, un « rat de bibliothèque ». On voit dès lors comment La Fontaine joue avec les mots et leurs multiples significations. Les expressions « rongeants » et « jusque aux dents » se rapportent aux caractéristiques de l'animal. Mais les mots « livres » et « savants » renvoient implicitement à l'idée de « rat de bibliothèque », qui ne peut que s'appliquer à des humains. Quant à la forme verbale « se faire [...] jusques aux dents », elle signifie « être (ou devenir) complètement ». Ne dit-on pas encore aujourd'hui : « être armé jusqu'aux dents » ?

L'humour ajoute au comique la subtilité et l'ingéniosité. Il suscite moins le rire que le sourire du connaisseur.

Les principaux procédés humoristiques

Les jeux de mots

C'est la forme la plus élémentaire de l'humour.

Tantôt elle consiste dans la répétition d'un même mot, mais pris dans un sens différent. Ainsi dans *La Mouche et la Fourmi* (IV, 3), le fabuliste joue sur les différentes significations du mot « mouche » : un petit morceau de tissu que les femmes de l'époque se collaient sur le visage, l'insecte, les parasites, les espions. Autre exemple :

> Point froid et point jaloux ; notez ces deux points-ci.
>
> (*Le Héron. La Fille*, VII, 4.)

Les deux premiers « point » sont des négations synonymes de « nullement ». Le troisième est un substantif désignant les éléments d'un discours et reprenant ici « froid » et « jaloux ».

– Tantôt l'humour provient du rapprochement de mots presque semblables, comme si l'homonymie les appelait les uns les autres[1]. Le Chat et le Renard s'en vont en pèlerinage,

> Croquant mainte volaille, escroquant maint fromage.
>
> (*Le Chat et le Renard*, IX, 14.)

Les deux participes présents sont presque identiques, mais n'ont évidemment pas le même sens. Autre exemple :

> Il est un Singe dans Paris
> À qui l'on avait donné femme.
> Singe en effet d'aucuns[2] maris
> Il la battait […]
>
> (*Le Singe*, XII, 19.)

« Singe » désigne à la fois l'animal et toute personne qui en imite une autre[3]. Voilà donc le « singe » qui « singe » les maris !

Équivoques et ambiguïtés

Une forme plus élaborée de l'humour réside dans une superposition de significations que, dans un contexte donné, un mot un vers ou une fable autorisent. Sous l'apparente simplicité du texte, le lecteur se trouve ainsi devant plusieurs interprétations possibles. À lui d'en choisir une, selon sa culture ou sa fantaisie du moment. C'est le principe de l'équivoque ou de l'ambiguïté qui, littéralement, désigne la pluralité de sens. La Fontaine est passé maître dans cet art de suggérer au lecteur des associations d'idées.

L'équivoque peut porter sur un terme ou sur une seule formule : « Le Buisson accrochait les passants à tous coups » (*La Chauve-Souris, le Buisson et le Canard*, XII, 7). Il les « accroche » par ses branches en tant que buisson, mais aussi en tant que commerçant qui tente d'« accrocher » la clientèle.

---

1. Ce procédé porte le nom technique de *paronomase*.

2. « Aucuns » : plusieurs.

3. Ce sens est encore celui du verbe « singer ».

L'équivoque peut s'appliquer sur un vers entier ou sur plusieurs comme, par exemple, « un Chapon[1] [...] Devait le lendemain être d'un grand soupé » (VIII, 21) ; mais comme invité ou comme plat de viande ?

Une fable complète peut être enfin ambiguë. *L'Ours et l'Amateur des jardins* (VIII, 10) repose sur le double sens de l'expression « Ours à demi-léché » : littéral (masse informe) et figuré (mal éduqué).

Les intersections du plan humain et du plan animal

La fable se prête par définition à ce genre d'humour. Où mieux en effet multiplier les interférences entre les éléments humains et zoologiques ? Parfois il s'agit d'une simple juxtaposition :

> Le Lièvre et la Perdrix, concitoyens d'un champ,
> Vivaient dans un état, ce semble, assez tranquille.
>
> (*Le Lièvre et la Perdrix*, V, 17.)

> Un citoyen du Mans, chapon de son métier.
>
> (Le Faucon et le Chapon, VIII, 21.)

> Le Singe avec le Léopard
> Gagnaient de l'argent à la foire.
>
> (*Le Singe et le Léopard*, IX, 3.)

Tantôt les animaux sont travestis en hommes. Soit par l'indication d'un rapport familial : « La Génisse, la chèvre et leur sœur la Brebis » (I, 6). « La femme du Lion mourut » (VIII, 14), « Mère Lionne », (X 12). Soit par la mention d'un titre de noblesse ou professionnel : « Capitaine Renard allait de compagnie... » (III, 5). Le Singe est « maître ès arts chez la gent animale » (XI. 5) ; « Dom Pourceau » (VIII, 12) ; le Milan est un « manifeste voleur[2] » (IX, 18).

Soit par une comparaison savoureuse plus ou moins longuement filée :

> C'était un chat vivant comme un dévot ermite,
> Un chat faisant la chattemite
> Un saint homme de chat bien fourré gros et gras.
>
> (*Le Chat, la Belette et le petit Lapin*, VII, 16.)

---

1. Un chapon est un jeune coq châtré que l'on engraisse pour la table. Les chapons du Mans étaient recherchés par les gourmets du XVIIe siècle.

2. Pour d'autres exemples, voir p. 64.

La « chattemite » qualifie une personne qui affecte la douceur pour mieux tromper son entourage ; le deuxième vers est donc, quant au sens, une répétition du premier. Mais l'allitération[1] en [a] et l'origine animalière de l'expression [chat] rendent l'octosyllabe savoureux.

L'IRONIE DU FABULISTE

▍Qu'est-ce que l'ironie ?

L'ironie est complice de l'humour, dont elle se distingue pourtant. C'est une manière de se moquer, qui suggère le contraire de ce qui est explicitement affirmé. Il revient alors au lecteur de ne pas se tromper sur le sens réel du texte, qu'il lui faut interpréter à rebours. En général, le contexte l'en avertit par un indice rapide : une construction entre deux termes ; un point d'exclamation ou d'interrogation, l'indication d'un ton.

Lorsque, par exemple, La Fontaine qualifie le chat et le renard de « beaux petits saints » (IX 14), l'adjectif « petits » fonctionne comme un signal. Objectivement, la sainteté ignore toute hiérarchie : il n'y a pas de petits ou de grands saints. La formule qu'utilise La Fontaine doit donc se comprendre en sens inverse : le « petit saint », c'est précisément celui qui ne l'est pas, tout en s'en donnant les apparences. C'est un cousin de l'hypocrite.

▍Les principaux procédés de l'ironie

L'antiphrase

L'antiphrase est ironique puisqu'elle désigne une façon de parler qui fait dire aux mots le contraire de leur sens habituel. La Fontaine en use parfois à l'intérieur d'une parenthèse. Il écrit ainsi à propos de *L'Homme et la Couleuvre* (X, 1) :

> À ces mots, l'animal pervers
> (C'est le serpent que je veux dire,
> Et non l'Homme, on pourrait aisément s'y tromper).

---

1. Une *allitération* est la répétition d'un même son.

En fait, loin de nier l'assimilation de l'homme à un animal dangereux, la remarque de La Fontaine la renforce et la souligne. La négation a valeur d'affirmation.

La morale du *Rat qui s'est retiré du monde* (VII, 3) doit de même se comprendre à l'envers. Ce Rat ermite est si peu compatissant aux malheurs d'autrui qu'il ne peut être moine, car, précise malicieusement La Fontaine, « Je suppose qu'un Moine est toujours charitable. » Mais la fable vient de démontrer le contraire.

Le pastiche et l'ironie littéraire

Le pastiche est un exercice de style qui consiste à imiter la manière d'écrire d'un auteur ou les caractéristiques esthétiques[1], d'un genre littéraire. La Fontaine y recourt fréquemment. L'effet produit est ironique dans la mesure où s'opère un décalage entre le fond et la forme.

Voici, par exemple, un pastiche de l'épopée, qui chante ordinairement des exploits grandioses et des héros célèbres. Un Renard saccage un poulailler. Au petit matin, le fermier découvre le désastre. Et le fabuliste de conter :

> Tel, et d'un spectacle pareil,
> Apollon irrité contre le fier Atride
> Joncha son camp de morts : on vit presque détruit
> L'ost[2] des Grecs, et ce fut l'ouvrage d'une nuit.
>
> (*Le Fermier, le Chien et le Renard*, XI, 3.)

Apollon était un dieu grec ; Atride désigne un membre de la famille grecque tragique par excellence[3]. La comparaison est évidemment ironique puisqu'il est question d'un renard et d'un poulailler ; il convient de ne pas la prendre au sérieux.

La fable du *Berger et son troupeau* (IX, 19) est, quant à elle, un pastiche de poésie élégiaque[4] : le Berger pleure son Mouton dévoré par un Loup en des termes qui rappellent la plainte amoureuse :

---

1. *Esthétique* : ce qui a trait aux procédés de style en vue d'obtenir un effet précis.
2. *Ost* : mot d'ancien français désignant une « armée ».
3. Agamemnon, Oreste, Électre, Antigone font partie de la famille maudite des Atrides, sans cesse mise en scène par les dramaturges grecs.
4. *Élégiaque* : plaintif et douloureux.

> Hélas ! de ma musette il entendait le son :
> Il me sentait venir de cent pas à la ronde.
> Ah le pauvre Robin Mouton !

Cette forme d'ironie est d'emblée moins perceptible que l'antiphrase. Elle s'adresse à un public lettré capable de la repérer. Mais c'est l'un des charmes des *Fables* que de pouvoir être lues à différents niveaux et d'être ainsi appréciées par les publics les plus divers.

LES AUTRES FORMES DU COMIQUE

Les effets comiques des effets de style

La Fontaine se sert d'autres ressources de la langue pour faire sourire son lecteur. Ici, un parallélisme devient plaisant :

> *Un mort s'en allait tristement*
> S'emparer de son dernier gîte ;
> *Un Curé s'en allait gaiement*
> Enterrer ce mort au plus vite.

(Le Curé et le Mort, VII, 10.)

Là une comparaison inattendue amuse. Dans *Le Meunier, son Fils et l'Âne* (III, 1), « trois filles » s'indignent qu'un garçon de quinze ans marche à pied, aux côtés d'un âne sur lequel est monté le meunier :

> [...] C'est grand honte
> Qu'il faille voir ainsi clocher ce jeune fils
> Tandis que ce nigaud, comme un Évêque assis,
> Fait le veau sur son âne [...]

> Les Sages quelquefois, ainsi que l'écrevisse
> Marchent à reculons [...]

(L'Écrevisse et sa Fille, XII, 10.)

Ailleurs une antithèse réjouit :

> Et mon Chat de crier, et le Rat d'accourir
> L'un plein de désespoir, et l'autre plein de joie.

(Le Chat et le Rat, VIII, 22.)

Parfois une gradation fait sourire :

> J'ai lu chez un conteur de fables
> Qu'un second Rodilard, l'Alexandre des Chats,
> L'Attila, le fléau des Rats [...]

(Le Chat et un vieux Rat, III, 18.)

L'insolence burlesque

Le burlesque consiste à décrire de manière sérieuse une situation ou un personnage qui ne l'est pas ; ou inversement à traiter de façon ridicule une chose sérieuse ou un grand personnage. Il se fonde sur une opposition systématique entre le fond et la forme. C'est une insolence littéraire et stylistique. Les *Fables* en contiennent de nombreux exemples.

Deux Chèvres qui se rencontrent sur une étroite passerelle sont ainsi décrites :

> Je m'imagine voir avec Louis le Grand
> Philippe Quatre qui s'avance
> Dans l'île de la Conférence[1].

> (*Les Deux Chèvres*, XII, 4.)

Une tireuse de cartes est présentée par le vers suivant :

> Une femme à Paris faisait la Pythonisse.

> (*Les Devineresses*, VII, 14.)

Or la Pythonisse était dans la mythologie grecque la prophétesse du dieu Apollon. Le contraste entre les deux femmes est donc énorme.

Le « Cierge » qui se consume devient un « nouvel Empédocle », philosophe grec du Ve siècle avant notre ère qui, selon la tradition, se suicida en se jetant dans le cratère en feu de l'Etna (IX, 12). La rivalité de deux Coqs auprès d'une Poule transpose la rivalité du Grec Ménélas et du Troyen Pâris auprès de la belle Hélène, dont le rapt provoqua la guerre de Troie[2] :

> Amour, tu perdis Troie ; et c'est de toi que vint
>   Cette querelle envenimée,
> Où du sang des Dieux même on vit le Xanthe[3] teint.
> Longtemps entre nos Coqs le combat se maintint.

> (*Les Deux Coqs*, VII, 12.)

---

1. Dans une île au milieu de Bidassoa, les rois Philippe IV d'Espagne et Louis XIV (qualifié de Louis le Grand) s'étaient rencontrés pour signer le traité des Pyrénées (1659).

2. Homère a raconté la guerre de Troie dans l'*Iliade* et le retour mouvementé d'Ulysse, l'un des vainqueurs de Troie, chez lui, dans l'*Odyssée*.

3. Le Xanthe : fleuve côtier de l'Asie mineure passant près de Troie.

Ulysse, le héros de l'*Odyssée*, n'est pas davantage épargné. Une Tortue entreprend un long périple et parce qu'Ulysse mit dix ans à revenir de Troie dans l'île d'Ithaque, La Fontaine commente :

> Ulysse en fit autant. On ne s'attendait guère
> De voir Ulysse en cette affaire.
>
> (*La Tortue et les deux Canards*, X, 2.)

Avec ses *Fables*, La Fontaine apparaît donc comme un moraliste d'un genre très particulier. La dénonciation des vices et des ridicules humains, les exposés philosophiques, l'élaboration d'une sagesse peuvent sembler des entreprises trop sérieuses pour susciter le rire. La Fontaine réussit pourtant à dire plaisamment des choses importantes. Le comique sous ses diverses formes imprègne les *Fables*. Cette gaieté permanente en rend la lecture plus agréable, mais aussi plus enrichissante.

19 | Le lyrisme

À l'origine et durant le Moyen Âge, la fable se contentait d'un didactisme moralisant. La grande innovation de La Fontaine a été de l'élever au niveau de la poésie en lui insufflant un lyrisme certain. Souvent, en effet, le fabuliste transparaît dans ses récits : par une réflexion personnelle, par le choix d'un mot significatif, par un aveu discret ou par un ton particulier. Cette présence du poète dans ses fables confère à l'ensemble de ses recueils des accents authentiquement lyriques.

N'imaginons pas toutefois qu'il s'agit d'un lyrisme exalté et enthousiaste, comme au XIXe siècle, le pratiqueront les Romantiques. Au XVIIe siècle, l'exigence classique de sobriété et de juste milieu contraint les écrivains à la modération. À une époque où, selon la formule de Pascal, le « moi est haïssable[1] », le lyrisme ne peut être que contrôlé. Aussi s'exprime-t-il chez La Fontaine par des confidences en demi-teintes, révélatrices cependant de ses goûts et de son caractère, par des résonances élégiaques[2] ; et par un éloge de l'amitié et de la solitude.

DES CONFIDENCES LYRIQUES
EN DEMI-TEINTES

Les *Fables* révèlent un être sensible, spontanément porté à la rêverie, à l'émerveillement et à la compassion.

---

1. C'est ce que Pascal (1623-1662) écrit dans ses *Pensées*. Comprenons par cette formule célèbre qu'il est malséant de parler de soi. Or le lyrisme est d'abord une expression de sentiments personnels.
2. *Élégie* : poème lyrique fondé sur la plainte ou la mélancolie des sentiments.

La rêverie

La Fontaine est un rêveur éveillé, laissant volontiers son esprit vagabonder. Objectera-t-on que ce n'est pas très raisonnable ? Qu'importe ! Le monde du rêve possède tant d'agréments ! Contrairement à ce qu'une lecture hâtive de *La Laitière et le Pot au lait* (VII, 9) pourrait conclure, le fabuliste ne condamne pas la malheureuse Perrette d'avoir bâti des « châteaux en Espagne[1] ». Certes, ses chimères se brisent avec le Pot au lait, et le retour à la réalité n'en est que plus rude. Mais :

> Chacun songe en veillant, il n'est rien de plus doux :
> Une flatteuse erreur emporte alors nos âmes :
> Tout le bien du monde est à nous,
> Tous les honneurs, toutes les femmes.
>
> (*La Laitière et le Pot au lait*, VII, 9.)

Quel éloge de la rêverie ! L'univers s'organise selon nos désirs. Plus d'obstacles. On peut devenir soi-même, complet et épanoui. Même fictive, cette plénitude vaut bien qu'on laisse courir son imagination.

L'émerveillement

Promeneur solitaire « aux bords d'une onde pure » (*Épilogue* du Livre XI), La Fontaine possède le don de s'émerveiller devant le spectacle de la nature. À travers sa description de l'« amateur des jardins » perce sa passion des fleurs et des arbres :

> Il aimait les jardins, était Prêtre de Flore[2]
> Il l'était de Pomone[3] encore :
> Ces deux emplois sont beaux […]
>
> (*L'Ours et l'Amateur des jardins*, VIII, 10.)

Fascination et rêverie s'allient dans la contemplation du ciel et nourrissent en lui mystère et interrogations :

---

1. *Bâtir des châteaux en Espagne* : « faire de grands et beaux rêves », qui ne se réaliseront jamais.
2. *Flore* : divinité des Fleurs, dans la mythologie.
3. *Pomone* : divinité des Arbres et des Fruits.

Comment percer des airs la campagne[1] profonde ?

(*L'Horoscope*, VIII, 16.)

Il faut autant savoir observer qu'être capable de s'enchanter pour évoquer ainsi le bonheur d'une Huître :

Une s'était ouverte, et bâillant au Soleil,
Par un doux Zéphir[2] réjouie,
Humait l'air, respirait, était épanouie.

(*Le Rat et l'Huître*, VIII, 9.)

Et comment ne pas deviner le regard du poète briller dans la peinture de cet « arbre fruitier » qui, au printemps, porte des « boutons »,

[...] douce et frêle espérance
Avant-coureurs des biens que promet l'abondance ?

(*L'Écolier, le Pédant et le Maître d'un jardin*, IX, 5.)

Le choix des adjectifs, la fluidité des vers, les sonorités paisibles, tout indique l'aptitude de La Fontaine à apprécier la beauté du monde.

La compassion

Chez lui, la compassion est sœur de l'émerveillement. S'il admire, il sait aussi s'indigner et exprimer sa pitié devant la souffrance. La Fontaine ne reste pas neutre ni de marbre devant ses personnages. Il les plaint quand ils deviennent victimes d'un sort malheureux. Les adjectifs sont relativement rares dans les *Fables*. Leur présence n'en est que plus significative. Avec une valeur d'affection apitoyée, l'adjectif « pauvre » revient fréquemment. C'est « la pauvre Aragne[3] n'ayant plus que la tête et les pieds » (X, 6), la « pauvre Chevrette » (XII, 15) ou le « pauvre Chat » (VIII, 22) pris au piège d'un filet.

La compassion de La Fontaine s'étend même aux malheurs du règne végétal : il plaint les « pauvres habitants » d'un jardin (c'est-à-dire les arbres) saccagé par un ignorant. Le poète ne refuse pas non

---

1. La *campagne profonde* : l'espace immense, le vide interplanétaire.
2. *Zéphir* : vent léger.
3. *Aragne* : araignée.

plus d'accorder sa pitié à des personnages cruels ou peu sympathiques, dès lors qu'ils viennent à souffrir. Un « Renard anglais » est un « scélérat » quand il ravage les poulaillers, mais il devient le « pauvret » quand il meurt sous les crocs des chiens (XII, 23). Même le voleur quand il est à son tour volé devient le « pauvre voleur » (X, 4). Pour s'exprimer discrètement, la sensibilité de La Fontaine n'en est pas moins réelle et vive.

DES RÉSONANCES ÉLÉGIAQUES

La gaieté des *Fables*[1] n'exclut pas, enfin, la mélancolie du poète qui, parfois, s'abandonne à des regrets d'autant plus émouvants qu'il les formule sur un mode mineur. La conscience du temps qui passe et de la mort qui se rapproche étreint son « âme inquiète » (IX, 2), désespérée à l'idée de ne plus aimer.

▌La fuite du temps

Avec les ans, le fabuliste sent sa vie lui échapper :

> Hâte-toi, mon ami, tu n'as pas tant à vivre.
>
> (*Le Loup et le Chasseur*, VIII, 27.)

Autant qu'aux autres, il s'adresse le conseil à lui-même, comme un rappel. Aussi des souvenirs heureux lui reviennent-ils en mémoire, mais c'est pour regretter que le bonheur qui les a formés soit définitivement passé. La nostalgie des contrées qu'il appréciait s'exprime en un élan douloureux :

> Lieux que j'aimai toujours, ne pourrai-je jamais,
> Loin du monde et du bruit, goûter l'ombre et le frais ?
> Ô qui m'arrêtera sous vos sombres asiles !
>
> (*Le Songe d'un habitant du Mogol*, XI, 4.)

L'opposition du passé simple (aimai) et des futurs traduit à la fois un temps révolu et le désir de le voir revenir, que rendent vaines

---

1. Voir le chapitre sur l'humour, l'ironie et le comique, p. 147.

l'interrogation et la locution adverbiale « ne… jamais ». Ces instants de joie arrachent encore à La Fontaine ce cri :

> Hélas ! quand reviendront de semblables moments ?
>
> (*Les Deux Pigeons*, IX, 2.)

Souffrir d'aimer et ne plus aimer

La souffrance amoureuse constitue le thème élégiaque par excellence. La Fontaine ne saurait l'ignorer. Un vers des *Deux Pigeons* (IX, 2) résume avec une simplicité touchante la douleur de celui qui aime et reste seul :

> L'absence est le plus grand des maux.

Mais si l'amour fait toujours plus ou moins souffrir, combien est plus insupportable encore l'idée et, avec le temps qui passe la certitude de ne plus jamais aimer !

> Ah si mon cœur osait encor se renflammer !
> Ne sentirai-je plus de charme qui m'arrête ?
> Ai-je passé le temps d'aimer ?
>
> (*Les Deux Pigeons*, IX, 2.)

Les souvenirs de ce cœur volage que fut La Fontaine rendent pathétique l'aveu de cet homme désormais sur le déclin de l'âge.

Des accents personnels

Ni la fuite du temps ni le regret des amours passées ne sont au XVIIe siècle des motifs originaux. Les poètes de l'Antiquité les orchestraient déjà. En France, Villon au Moyen Âge, Ronsard et du Bellay au XVIe siècle les avaient traités. Vieillir est le lot universel. Mais ces lieux communs de l'élégie, La Fontaine les renouvelle par la sincérité et la délicatesse avec lesquelles il les aborde. L'homme soudain transparaît dans l'écrivain. Dans la seconde partie du *Songe d'un habitant du Mogol* (XI, 4), par exemple, La Fontaine oublie l'histoire de son Mogol, de l'ermite et de son interprète pour prendre directement la parole : « Si j'osais ajouter. » Et c'est pour dire son amour de la solitude, ses joies passées et champêtres, son espoir de mourir « sans remords ».

La fable *Les Deux Pigeons* semble l'émouvoir le premier. Le voici qui se souvient de sa jeunesse : « J'ai quelquefois aimé ! » Comme si la description du bonheur retrouvé de ses personnages le faisait songer aux femmes qu'il avait naguère aimées.

Les accents élégiaques sont parfois simplement suggérés tant ils sont discrets. Le Pigeon revient-il au logis après un périple mouvementé ?

> Voilà nos gens rejoints ; et je laisse à juger
> De combien de plaisirs ils payèrent leurs peines.
>
> (*Les Deux Pigeons*, IX, 2.)

« Leurs peines » : le pluriel prend une résonance élégiaque. Un seul Pigeon a en effet connu les périls du voyage. Pourtant La Fontaine évoque par un seul et même terme l'angoisse du Pigeon qui attendait au logis le retour de l'aventurier et les tribulations de ce dernier. La discrétion de l'expression accroît la profondeur du sentiment. Outre une maîtrise parfaite de l'écriture, il faut de la délicatesse et une certaine expérience de la souffrance amoureuse pour parvenir à cet art de la suggestion.

L'ÉLOGE DE L'AMITIÉ ET DE LA SOLITUDE

La Fontaine se révèle en revanche plus direct pour célébrer des valeurs qui sont pour lui moins contradictoires que complémentaires : l'amitié et la solitude.

▌Le culte de l'amitié

Infidèle en amour, le fabuliste ne l'a jamais été en amitié, dont il se fait la plus haute des conceptions. Plusieurs fables du second recueil en forment un hymne. Campant un solitaire vivant dans de magnifiques jardins, le poète ne peut s'empêcher d'exprimer un souhait :

> [...] mais je voudrais parmi[1]
> Quelque doux et discret ami.
>
> (*L'Ours et l'Amateur des jardins*, VIII, 10.)

---

1. *Parmi* : sous-entendu « les jardins ».

Dans *Les Deux Amis* (VIII, 11), il donne la définition la plus belle et la plus exigeante qui soit de l'amitié :

> Qu'un ami véritable est une douce chose.
> Il cherche vos besoins au fond de votre cœur ;
> Il vous épargne la pudeur
> De les lui découvrir vous-même.

L'exclamation implicite du premier vers prend la force d'une conviction profonde. Les trois vers qui suivent en fournissent l'explication raisonnée et délicate. La fable est un exemple typique du lyrisme classique : un élan du cœur aussitôt maîtrisé, contrôlé et justifié[1].

▌L'éloge de la solitude

Peu d'auteurs du XVIIe siècle ont enfin su comme La Fontaine inspirer « l'amour de la retraite », ni célébrer les plaisirs d'une vie simple. Le « paysan du Danube » prononce un discours passionné contre les Romains qui viennent d'envahir son pays :

> Pourquoi venir troubler une innocente vie ?
> Nous cultivions en paix d'heureux champs, et nos mains
> Étaient propres aux Arts ainsi qu'au labourage.
>
> (*Le Paysan du Danube*, XI, 7.)

Dans sa simplicité, le tableau devient une évocation lyrique du bonheur. Il en va de même, avec une pointe élégiaque, lorsque La Fontaine envie la paix que connaissent les Anglais[2].

> Ô peuple trop heureux, quand la paix viendra-t-elle
> Nous rendre comme vous tout entiers aux beaux-arts ?
>
> (*Un animal dans la Lune*, VII, 17.)

Mais c'est lorsqu'il puise dans son expérience personnelle de la « retraite » que le poète trouve les plus beaux accents de l'éloge :

> Elle offre à ses amants des biens sans embarras,
> Biens purs, présents du Ciel, qui naissent sous les pas.
> Solitude où je trouve une douceur secrète.
>
> (*Le Songe d'un habitant du Mogol*, XI, 4.)

---

1. Voir aussi p. 156.
2. Sur les échos de l'actualité politique dans les *Fables* et les rapports entre la France et l'Angleterre, voir pp. 96-97.

Pour être en permanence contrôlé, le lyrisme de La Fontaine n'en est donc pas moins réel. Les longs et sonores épanchements du cœur lui sont certes étrangers. Mais ses confidences sont si sincères et possèdent une telle résonance que La Fontaine s'impose comme le premier poète lyrique de son siècle. Si ses fables multiplient les enseignements, elles sont aussi le journal d'une sensibilité et d'une âme.

20 | L'art de raconter

« Contons, mais contons bien », disait La Fontaine[1]. De fait, il a su transformer la sèche et monotone fable ésopique en un récit alerte et vivant. Pour lui, la façon de raconter compte autant, sinon plus, que la valeur de la moralité. L'une rend l'autre plus séduisante. S'il s'agit d'instruire, il convient de plaire, conformément à la doctrine classique. Aussi La Fontaine s'attache-t-il à bien camper ses personnages, à composer ses récits et à varier à l'infini son style.

L'ART DE CAMPER LES PERSONNAGES

Tout personnage littéraire est paradoxal : c'est un être de papier, qui ne vit pas réellement, mais qui doit donner une intense impression de vie. À ce résultat, La Fontaine parvient par des dialogues expressifs, par sa capacité de donner à voir avec des mots et d'aller à l'essentiel.

Des dialogues expressifs

Plus que par d'amples descriptions, les personnages des *Fables* se dépeignent dans leurs propos. La Fontaine adapte le rythme de leurs paroles au caractère ou à la situation de chacun. Tantôt la conversation prend un tour familier. Le Faucon s'étonne que le Chapon ne veuille pas entrer dans la cuisine du Maître :

> Il t'attend, es-tu sourd ? — Je n'entends que trop bien,
> Répartit le Chapon ; mais que me veut-il dire
> Et ce beau Cuisinier armé d'un grand couteau ?
>
> (*Le Faucon et le Chapon*, VIII, 21.)

---

1. Dans ses *Contes et Nouvelles* en vers, publiées en 1665.

Tantôt le discours devient solennel, comme dans la bouche du « Paysan du Danube » :

> Romains, et vous Sénat assis pour m'écouter.

> (*Le Paysan du Danube*, XI, 7.)

Dans une même fable, le dialogue varie d'un interlocuteur à un autre. Aucun animal ne s'exprime comme son congénère. Dans *L'Homme et la Couleuvre* (X, 1), le Serpent parle sur un ton ferme et tranchant ; la Vache est plus prolixe ; quant au Bœuf, il « rumine » en sa tête et se perd en d'interminables détours.

Aussitôt les personnages s'individualisent et prennent vie. Le plaisir de les suivre dans leur univers, le temps d'une fable, s'accroît.

▌Donner à voir

La Fontaine multiplie en outre les notations visuelles, qui d'emblée frappent l'esprit. La description physique des animaux participe de cette technique : ils sont saisis dans leur mouvement ou dans l'une de leurs caractéristiques corporelles.

Ce qui vaut pour les bêtes vaut pour les humains. Quatre vers suffisent au fabuliste pour camper la silhouette de la Laitière :

> Perrette sur sa tête ayant un Pot au lait
> Bien posé sur un coussinet,
> Prétendait arriver sans encombre à la ville.
> Légère et court vêtue elle allait à grands pas.

> (*La Laitière et le Pot au lait*, VII, 9.)

Le portrait du « Paysan du Danube » additionne les détails suggestifs :

> Son menton nourrissait une barbe touffue,
> Toute sa personne velue
> Représentait un Ours, mais un Ours mal léché.
> Sous un sourcil épais il avait l'œil caché,
> Le regard de travers, nez tordu, grosse lèvre.

> (*Le Paysan du Danube*, XI, 7.)

Les indications sont si précises qu'on pourrait le dessiner. De même dans cette scène champêtre où un Loup voit :

> [...] des Bergers pour leur rôt[1]
> Mangeant un agneau cuit en broche.
>
> (*Le Loup et les Bergers*, X, 5.)

C'est par de telles touches que La Fontaine sollicite l'imagination de son lecteur. Il ne s'en laisse que mieux prendre au récit.

▍Aller à l'essentiel

La Fontaine ne cherche pas à tout dire sur ses personnages. Il met en valeur le trait dominant du caractère qu'il leur prête. Il s'ensuit un effet de loupe qui grossit le trait.

D'un avare importe seulement le défaut ; qu'il soit de petite ou de grande taille, maigre ou gros, tout le reste est secondaire. La « fureur d'accumuler » habite littéralement cet avare qui « ne possédait pas l'or » mais que « l'or possédait » (*L'Avare qui a perdu son trésor*, IV, 20). L'imparfait d'habitude, l'absence de complément du verbe disent le vice et le traduisent en action. À l'inverse, le nouveau riche est évoqué par et dans son enrichissement rapide :

> Bref il plut dans son escarcelle.
> On ne parlait chez lui que par doubles ducats[2].
>
> (*L'Ingratitude et l'Injustice des hommes envers la Fortune*,
> VII, 13.)

Le pouvoir du Lion tient à sa cruauté : le voici présenté comme un proche « parent de Caligula », empereur célèbre pour sa folie sanguinaire (*La Cour du Lion*, VII, 6). Toujours La Fontaine va à l'essentiel en trouvant le mot ou la formule qui fait image.

L'ART DE COMPOSER UN RÉCIT

Camper des personnages est nécessaire, mais insuffisant. Encore convient-il de les introduire dans une histoire bien menée. La structure théâtrale des *Fables*, leurs rebondissements romanesques et parfois leur aspect énigmatique créent des récits attachants.

---

1. *Rôt* : viande rôtie.
2. Le ducat est une ancienne monnaie d'or.

Une structure théâtrale

Amateur de théâtre, La Fontaine donne souvent à ses fables l'organisation et la forme d'une pièce de théâtre. Ne les définissait-il pas lui-même comme « une ample comédie à cent actes divers » (*Le Bûcheron et Mercure*, V, 1) ? *Le Gland et la Citrouille* (IX 4) fait songer à une farce, *Le Savetier et le Financier* (VIII, 2) se rapproche de la comédie tandis que *Les Animaux malades de la peste* (VII, 1) ressemble à une tragédie. Mais dans tous les cas, après une brève exposition, l'action progresse logiquement jusqu'à son dénouement, rapide et claire, pour créer l'intérêt dramatique. (Cet aspect des *Fables* fait l'objet du chapitre 17).

Des rebondissements romanesques

D'autres fables tournent parfois au roman. Les épisodes s'enchaînent alors les uns aux autres, pour produire tantôt un effet de surprise, tantôt un crescendo, qui retiennent l'attention.

Étudions par exemple la structure des *Deux Aventuriers et le Talisman* (X, 13). Les sept premiers vers introduisent les personnages. La suite se répartit en cinq temps, suivis de la leçon :
– une mise à l'épreuve : traverser un torrent et porter un « éléphant de pierre » jusqu'au sommet d'un mont (v. 8-16) ;
– la dérobade d'un des deux aventuriers qui allègue que l'entreprise est impossible (v. 17-31) ;
– l'exploit du second aventurier, qui triomphe de la difficulté (v. 32-38) ;
– l'« éléphant de pierre » s'anime et barrit (v. 39) ;
– au cri de l'animal se rassemble une foule immense, qui proclame aussitôt le téméraire aventurier roi du pays (v. 40-47).

Moralité : il est parfois sage d'agir sans trop réfléchir (v. 48-55).

La progression est à la fois logique, linéaire et pleine d'inattendus.

L'étude de l'organisation de *L'Homme qui court après la Fortune et l'Homme qui l'attend dans son lit* (VII, 11), du *Marchand, le Gentilhomme, le Pâtre et le Fils de roi* (X 15) ou de *L'Ingratitude et l'Injustice des hommes envers la Fortune* (VII, 13) aboutirait aux mêmes conclusions.

▌Des énigmes habilement présentées

Certaines fables, moins nombreuses, séduisent au contraire par leur caractère énigmatique. On ne voit pas d'emblée où veut en venir La Fontaine, ni vers où il veut guider son lecteur. *L'Horoscope* (VIII, 16), par exemple, débute par ces deux vers :

> On rencontre sa destinée
> Souvent par des chemins qu'on prend pour l'éviter.

Comment est-ce possible ? Si, par hypothèse, on connaît son avenir, comment peut-on se laisser surprendre par le sort ? Voici l'histoire. Un astrologue avertit un père de famille que son fils risque d'être un jour tué par un Lion. Aussitôt le père interdit à son enfant de sortir hors de sa maison. Le temps passe, jusqu'au jour où l'enfant, apercevant sur un mur un tableau représentant un Lion, l'arrache d'un geste rageur. Il se blesse au clou et en meurt. On ne peut qu'admirer l'ingéniosité avec laquelle La Fontaine bâtit son récit. *Le Fou qui vend la sagesse* (IX, 8) – le titre étonne déjà –, *Un animal dans la Lune* (VII, 17), *Le Vieillard et les trois jeunes Hommes* (XI, 8), *Le Loup et le Renard* (XII, 9) reposent, en partie ou en totalité, sur ce caractère énigmatique de la fable.

L'ART DE VARIER LE STYLE

Le style des *Fables* est enfin essentiel. Si chaque texte était écrit de la même façon, il s'en dégagerait une préjudiciable impression d'uniformité et, sans doute, d'ennui. La malice du conteur, la richesse du vocabulaire et la variété des tons produisent l'effet inverse. Chaque fable est unique. Le plaisir de la découverte est ainsi permanent.

▌Un contour malicieux

La Fontaine s'amuse le premier en racontant. Comme s'il vivait familièrement avec ses personnages, il les blâme ou les approuve, sourit ou s'inquiète de leurs aventures. Le lecteur assiste en sa compagnie au déroulement de cette « ample Comédie » que sont les *Fables*. Le poète commente plaisamment son sujet :

> On conte qu'un serpent voisin d'un Horloger
> (C'était pour l'Horloger un mauvais voisinage)…
>
> *(Le Serpent et la Lime*, V, 16.)

> Un Loup rempli d'humanité
> (S'il en est de tels dans le monde).
>
> *(Le Loup et les Bergers*, X, 5.)

Son détachement à l'égard d'un récit qu'il se garde de prendre au sérieux ne peut qu'amuser. C'est une des formes de l'humour (pour d'autres exemples, voir p. 147).

Il joue avec l'équivoque établie par le genre de la fable entre l'animal et l'homme. De fines parodies[1] pimentent les dialogues. « Sa Majesté Lionne » (VII, 6) transpose l'expression « Sa Majesté le Roi », en vigueur dans les usages mondains et diplomatiques. À l'inverse, un danger crée-t-il un mouvement de panique ?

> Mais le danger s'oublie, et cette peur si grande
> S'évanouit bientôt. Je revois les lapins
> Plus gais qu'auparavant revenir sous mes mains[2].
> Ne reconnaît-on pas en cela les humains ?
>
> *(Discours à Monsieur le duc de La Rochefoucauld*, X, 14.)

La transposition fait sourire.

Un vocabulaire ennemi de la monotonie

La langue de La Fontaine s'avère par ailleurs d'une telle richesse qu'elle n'engendre jamais la monotonie. Lire les Fables ne lasse pas, pour qui se montre attentif aux choix des mots et aux registres du vocabulaire. Pour faire parler chaque personnage dans la langue de sa classe sociale ou de son métier, le fabuliste recourt à tous les procédés possibles.

Des formules se rattachent à la langue populaire : « Par ma barbe » (III, 5) ; « Crier haro sur le baudet » (VII, 1), « tirer [les] marrons du feu » (IX, 17). La langue juridique abonde comme il convient dans les

---

1. Une *parodie* est une imitation, plus ou moins caricaturale.
2. *Sous mes mains* : à mon gré ; le poète fait revenir ses personnages comme bon lui semble.

scènes de justice et de procès (II, 3 ; VI, 4 ; VII, 1 ; IX, 9 ; X, 1 ; XII, 8, 29). Les termes de chasse sont fréquents (VIII, 16, 27 ; IX, 14 ; XII, 15, 23, 28). Le vocabulaire militaire apparaît presque partout. La place des mots dans les vers est elle-même lourde de signification. À propos de deux riches bourgeois, par exemple, La Fontaine écrit :

> Les voleurs contre eux complotèrent ;
> Les grands Seigneurs leur empruntèrent.

> (*Les Souhaits*, VII, 5.)

Le parallélisme des octosyllabes suggère l'assimilation des « grands seigneurs » aux « voleurs ». Au lecteur d'apprécier chaque détail !

Une variété de registres

Les incessants passages d'un ton à un autre renouvellent enfin l'attrait des *Fables*. On est alors dans le genre burlesque (étudié dans le chapitre 1, p. 20). *Les Animaux malades de la peste* (VII, 1) débute à l'inverse sur un ton épique[1]. Le discours que tient le « Paysan du Danube » relève de l'éloquence majestueuse (XI, 7). *Le Conseil tenu par les Rats* (II, 2) se situe sur un registre héroï-comique, c'est-à-dire dans un mélange d'éléments comiques et épiques :

> Un Chat nommé Rodilardus
> Faisait de Rats telle déconfiture
> Que l'on n'en voyait presque plus
> Tant il en avait mis dedans la sépulture.

Le ton peut même changer en quelques vers. Ainsi, après avoir employé le style noble pour nommer les Abeilles et la Cire, La Fontaine simplifie soudain son langage pour créer une chute amusante :

> Quand on eut des palais de ces filles du Ciel
> Enlevé l'ambroisie en leurs chambres enclose :
> Ou pour dire en français la chose,
> Après que les ruches sans miel
> N'eurent plus que la Cire, on fit mainte bougie.

> (*Le Cierge*, IX, 12.)

---

1. Sur l'épopée, voir p. 38.

Diversité, gaieté, sens de la mise en scène et de la surprise, c'est par toutes ces qualités que La Fontaine se révèle un conteur attachant et exceptionnel. Ses *Fables* deviennent si plaisantes à lire que, séduit par leurs récits, le lecteur en oublie parfois la portée didactique. Tant il est vrai, comme le poète l'observait, qu'il existe « un certain charme, un air agréable qu'on peut donner à toutes sortes de sujets, même les plus sérieux[1] ».

_____

1. *Préface* du premier recueil des *Fables*.

21 | Images, rythmes et versification

Les *Fables* ont d'emblée séduit par leur poésie et elles n'ont depuis cessé de charmer tous leurs lecteurs. Mais s'il est aisé d'admirer leurs qualités, il devient plus délicat d'analyser précisément en quoi celles-ci consistent. Qu'entend-on en effet par la poésie des *Fables* ? S'il s'agit de leur univers, celui-ci est par essence poétique : avec ses « créatures parlantes » que sont les animaux, les arbres et les plantes, il sollicite l'imagination. Nombre de thèmes relèvent par ailleurs du lyrisme[1]. La diversité des registres[2] témoigne enfin d'un travail élaboré sur le langage, qui est également la marque de la poésie. On ne reviendra pas sur ces aspects déjà considérés. L'étude stylistique des *Fables* mérite en revanche que l'on s'y arrête. Comme à elle seule, elle nécessiterait un volume entier, on insistera sur quelques points fondamentaux : les vers, les rythmes et les images.

LA VERSIFICATION

La versification des *Fables* est d'une grande variété ; les effets produits sont en conséquence multiples.

La variété des vers

La Fontaine use de toutes les formes du vers. Il recourt tantôt à l'alexandrin (vers de douze syllabes), le plus souvent pour faire parler les dieux et les rois, pour parodier l'épopée ou pour introduire un

---

1. Sur le *lyrisme*, voir p. 156.
2. Voir pp. 37-38.

développement philosophique sur la Providence, sur la Nature ou sur la Mort :

> Jupiter dit un jour : Que tout ce qui respire
> S'en vienne comparaître aux pieds de ma grandeur.
>
> (*La Besace*, I, 1) ;

tantôt au décasyllabe (vers de dix syllabes), qui longtemps a été le vers traditionnel du conte :

> Dans ce récit je prétends faire voir
> D'un certain sot la remontrance vaine…
>
> (*L'Enfant et le Maître d'école*, I, 19) ;

tantôt à l'octosyllabe (vers de huit pieds) :

> La Mort ne surprend point le sage.
>
> (*La Mort et le Mourant*, VIII, 1.)

Les vers imparisyllabiques[1] sont également fréquents.

La première moitié de *Tircis et Amarante* (VIII, 13) est rédigée en vers de sept syllabes.

Plus rarement, le fabuliste utilise le vers de trois syllabes ; il le fait pour séparer, par exemple, l'action du reste de la fable ; ainsi dans ce début célèbre de *La Cigale et de la fourmi* (I, 1) :

> La Cigale, ayant chanté,
> Tout l'été,
> Se trouva fort dépourvue.

Dans *Les Animaux malades de la peste* (VII, 1), le Lion a « quelquefois » mangé

> Le Berger.

La brièveté du vers souligne la volonté du lion d'atténuer sa responsabilité.

Les vers de deux syllabes créent un effet d'opposition ou de désagréable surprise. Dans *La Montagne qui accouche* (V, 10), le fabuliste s'en prend aux fanfarons et à ceux qui promettent beaucoup :

---

1. Les vers imparisyllabiques sont des vers qui comportent un nombre impair de syllabes.

> [...] mais qu'en sort-il souvent ?
>   Du vent.

Une seule fable du second recueil comporte un vers de deux syllabes. Un homme veut puiser dans ses économies et trouve son argent

>   Absent.
>   (*Le Trésor et les deux Hommes*, IX, 16.)

Non seulement La Fontaine use globalement de vers différents, mais il en use dans chaque fable. Aucune n'est composée sur un même modèle rythmique.

Rapidité, contraste et mise en relief

Changer de vers n'est pas anodin. Les effets produits sont multiples.

Une impression de rapidité peut naître de cette variation de rythme. Par exemple dans *L'Ingratitude et l'Injustice des hommes envers la Fortune* (VII, 13), l'apparition d'un octosyllabe après deux alexandrins souligne la rapidité du changement :

> Et lui-même ayant fait grand fracas, chère lie[1],
> Mis beaucoup en plaisirs en bâtiments beaucoup,
>   Il devint pauvre tout d'un coup.

Ailleurs, il s'agit d'un effet de contraste. La Fontaine en tire souvent parti pour introduire ses personnages et commencer son récit le plus vivement possible :

> Un vieux Renard, mais des plus fins
> Grand croqueur de poulets, grand preneur de lapins,
>   Sentant son renard d'une lieue,
>   Fut enfin au piège attrapé.
>   (*Le Renard ayant la queue coupée*, V, 5.)

De la même façon, la succession d'un vers long et d'un vers plus bref peut permettre au fabuliste de conclure brusquement, lorsqu'il a achevé son récit :

---

1. *Chère lie* : joyeuse vie.

Martin bâton accourt ; l'Âne change de ton.
                    Ainsi finit la comédie.

(L'Âne et le petit Chien, IV, 5.)

La succession de vers différents crée enfin une mise en relief. Qu'il s'agisse d'une surprise :

L'homme au trésor arrive, et trouve son argent
                    Absent.

(Le Trésor et les deux Hommes, IX, 16.) ;

ou de l'expression d'une idée de force :

Chose étrange ! on apprend la tempérance aux chiens,
Et l'on ne peut l'apprendre aux hommes.

(Le Chien qui porte à son cou le dîné de son maître, VIII, 7.)

LES RYTHMES

Si la succession de vers variés engendre des effets précis, il faut également tenir compte du rythme de chaque vers.

Les césures et les coupes

La cadence dépend du nombre de coupes à l'intérieur d'un vers. La coupe marque le repos après une syllabe accentuée[1].

Quand la coupe est placée à l'hémistiche[2], elle prend le nom de césure. L'alexandrin classique possède deux coupes, en plus de la césure, comme, par exemple, dans le vers suivant :

Ils ne mouraient pas/tous//, mais tous/étaient frappés.

(Les Animaux malades de la peste, VII, 1.)

La place des coupes ou l'atténuation de la césure peut ainsi produire une modification du rythme, par accélération ou par ralentissement du débit. Prenons le cas de ce vers du *Coche et la Mouche* (VII, 8) :

Femmes/, Moine/, Vieillards//, tout était descendu.

---

1. *Syllabes accentuées* : syllabes comportant un accent tonique, qui se traduit par une augmentation de l'intensité de la voix. Par exemple : une table, des animaux.
2. Un *hémistiche* correspond à la moitié d'un vers.

La concentration des deux coupes dans le premier hémistiche implique une lenteur certaine de lecture, en harmonie avec la peine qu'éprouvent les chevaux à tirer le Coche dans « un chemin montant ».

Mais le fabuliste choisit parfois de ne pas respecter la règle quand cela peut produire un effet particulier. Ainsi dans cette description :

> Le Héron au long bec emmanché d'un long cou.
>
> (*Le Héron*, VII, 4.)

Les coupes et la césure sont si fortement atténuées qu'elles sont pratiquement inexistantes. Le vers doit se lire d'une traite comme pour mieux suggérer la hauteur de l'animal.

Le cas des vers imparisyllabiques diffère de celui de l'alexandrin. Leurs deux moitiés sont mathématiquement inégales ; elles leur donnent donc une allure soit sautillante soit saccadée propice à la poésie légère. Les vers de sept syllabes se coupent en effet en 4 + 3 ou en 3 + 4 :

1	2	3	4	5	6	7
Un	Mari	/	fort	amoureux,		

1	2	3	4	5	6	7
Fort	amoureux	/		de	sa	femme.

> (*Le Mari, la Femme et le Voleur*, IX, 15.)

▌L'enjambement et le contre-rejet

L'enjambement est un autre procédé rythmique. Il consiste à reporter sur le vers suivant un ou plusieurs mots nécessaires au sens du vers précédent, comme dans cette ouverture du *Corbeau et le Renard* (I, 2) :

> Maître Corbeau, sur un arbre perché,
> Tenait en son bec un fromage.

Le premier vers est grammaticalement incomplet[1], puisqu'il comporte un groupe sujet, sans le verbe, qui n'apparaît que dans le second vers.

---

1. Un vers doit en effet correspondre à une unité grammaticalement autonome (un sujet + le verbe ; un nom + un adjectif...), sauf cas particuliers comme l'enjambement et le contre-rejet.

La Fontaine multiplie les enjambements à chaque fois que bon lui semble. Donnant la parole à une Vache, il écrit :

> Enfin me voilà vieille ; il me laisse en un coin
> Sans herbe ; s'il voulait encor me laisser paître !
> Mais je suis attachée, et si j'eusse eu pour maître
> Un serpent, eût-il su jamais pousser si loin
> L'ingratitude ? Adieu : j'ai dit ce que je pense.
>
> (*L'Homme et la Couleuvre*, X, 1.)

Le contre-rejet produit un effet analogue. Il consiste à débuter une proposition dans le vers qui précède celui où elle est contenue pour la plus grande partie. Par exemple :

> Je me dévouerai donc, s'il le faut ; mais je pense
> Qu'il est bon que chacun s'accuse ainsi que moi.
>
> (*Les Animaux malades de la peste*, VII, 1.)

▌La phrase rythmique

Le poète sait enfin organiser les vers en des ensembles ou sous-ensembles expressifs, qui confèrent à la phrase une allure harmonieuse.

Les maximes se moulent fréquemment dans un distique[1] :

> Selon que vous serez puissant ou misérable,
> Les jugements de Cour vous rendront blanc ou noir.
>
> (*Les Animaux malades de la peste*, VII, 1.)

Telle autre fable comporte un tercet. Étendue sur trois vers, dont au moins deux riment entre eux, la phrase offre alors un sens complet. Parlant du proverbe qui dit que la voix du peuple est la voix de Dieu, La Fontaine s'interroge sur le sens réel de cette expression :

> En quel sens est donc véritable
> Ce que j'ai lu dans certain lieu,
> Que sa voix est la voix de Dieu ?
>
> (*Démocrite et les Abdéritains*, VIII, 26.)

---

1. Un *distique* est un groupe de deux vers formant un énoncé complet dont on trouvera des exemples dans : VIII, 16 ; IX, 7 ou X, 9.

Le quatrain est la forme préférée du fabuliste pour tirer la morale d'un écrit. Par exemple :

> Le trépas vient tout guérir ;
> Mais ne bougeons d'où nous sommes,
> Plutôt souffrir que mourir,
> C'est la devise des hommes.

> (*La Mort et le Bûcheron*, I, 16.)

En fait La Fontaine recourt à toutes les combinaisons possibles. Ce peut être un quintil, strophe de cinq vers[1], ou un sixain[2]. Ce n'est donc pas seulement chaque vers qui fait l'objet de toute son attention, mais aussi leur succession. C'est pourquoi, pour être pleinement appréciées, les fables doivent se lire et se relire avec un soin particulier.

LES IMAGES

La poésie exploitant toutes les ressources du langage, les images (comparaisons et métaphores) abondent dans les *Fables*.

Les comparaisons

Les comparaisons sont concrètes et frappantes. Tantôt elles introduisent une analogie entre les hommes et les animaux :

> C'était un chat vivant comme un dévot ermite.
> (*Le Chat, la Belette et le petit Lapin*, VII, 15.)

> Ô que de grands Seigneurs, au Léopard semblables,
> N'ont que l'habit pour tous talents !
> (*Le Singe et le Léopard*, IX, 3.)

Tantôt une comparaison conditionnelle[3] suggère l'intensité d'une action ou précise une attitude avec une pointe comique :

---

1. Voir par exemple : VIII, 22 (v 1-5) ; IX, 11 (v. 1-5) ou XII, 17 (v 1-5).
2. Voir par exemple : VII, 1 ou X, 1.
3. Une *comparaison conditionnelle* (ou *hypothétique*) est introduite par comme si.

> Messire Jean Chouart couvait des yeux son mort,
> Comme si l'on eût dû lui ravir ce trésor.

(Le Curé et le Mort, VII, 10.)

> Dom Pourceau criait en chemin,
> Comme s'il avait eu cent Bouchers à ses trousses.

(Le Cochon, la Chèvre et le Mouton, VIII, 12.)

Tantôt enfin elle opère un changement de registre et de ton. Un homme fatigue les Dieux de ses prières pour des futilités mais il les prie avec force :

> Comme s'il s'agissait des Grecs et des Troyens.

(L'Homme et la Puce, VIII, 5.)

La comparaison avec la guerre de Troie devient comique dans ce contexte.

Les métaphores

Comparaisons abrégées[1], les métaphores, par leur concision, sont plus variées. Une allusion mythologique la commande quand une Poule est décrite telle « Hélène au beau plumage[2] » ou quand « une femme à Paris » faisait la Pythonisse[3].

Le souci d'enjoliver une réalité banale justifie la métaphore. Dormir devient une façon de mettre « à profit l'absence du Soleil » (VIII, 12).

Au contraire, la métaphore militaire s'applique à décrire la force d'une passion. Évoquant ses amours anciennes, La Fontaine écrit :

> Je servis, engagé par mes premiers serments.

(Les Deux Pigeons, IX, 2.)

---

1. C'est-à-dire une comparaison dont on a volontairement supprimé le terme « comme ». Par exemple : « la mort est une faucheuse », comprenons : « elle est comme une faucheuse. »

2. Le rapt de la princesse grecque Hélène fut la cause de la guerre de Troie. Dans le contexte de deux coqs se disputant une poule, la métaphore devient comique (Les Deux Coqs, VII, 12).

3. La Pythonisse était le nom d'une prêtresse du dieu Apollon, connue et redoutée pour ses prédictions (Les Devineresses, VII, 14).

Le vocabulaire technique est d'ailleurs à l'origine de nombreuses tournures métaphoriques. L'assemblée des animaux se change en « Cour plénière », qui est une formule juridique et politique. La langue populaire fournit de savoureuses expressions. Le Savetier ne se soucie que d'attraper « le bout de l'année », c'est-à-dire de vivre jusqu'à la fin de l'année (VIII, 2). La médecine se nomme ailleurs « l'art d'Esculape[1] ».

Les *Fables* paraissent, à la lecture, limpides et naturelles. Rien n'est plus exact et, en même temps, rien n'est plus faux. La simplicité du style de La Fontaine provient d'un maniement très élaboré du vers, des rythmes et du langage. C'est la marque même d'un classicisme maîtrisé, dissimulant la réflexion, l'effort et le talent sous la plus naturelle des apparences. Selon son degré de culture, le lecteur se laissera prendre à cette illusion de simplicité ou il admirera l'art avec lequel La Fontaine a su la créer. Dans tous les cas, les *Fables* sont une leçon de style.

---

1. Esculape : dieu de la Médecine dans la religion romaine.

22 | Écriture et réécriture

La Fontaine place son premier recueil de *Fables* dans le sillage d'Ésope ; et même s'il varie par la suite ses sources d'inspiration, la référence à Ésope reste récurrente[1]. Ainsi qu'il le commente dans *La Mort et le Bûcheron* (I, 16) : « Nous ne saurions aller plus avant que les Anciens ; ils ne nous ont laissé pour notre part que la gloire de les bien suivre. » C'est la théorie de l'« imitation », chère à la doctrine classique. L'époque de La Fontaine, qui est aussi celle de Molière et de Racine, considère les œuvres de l'Antiquité comme des modèles absolus.

Ce serait toutefois une erreur de penser que cette « imitation » consiste en une servile adaptation. Celle-ci implique au contraire rivalité et émulation. S'il faut « imiter » les Anciens, c'est pour faire aussi bien qu'eux et, si possible, mieux qu'eux. La réécriture est toujours nouveauté

Les *Fables* en fournissent de nombreux exemples. On en retiendra deux, parmi les plus significatifs. Ce sont ceux où La Fontaine réécrit Ésope et où le fabuliste se réécrit lui-même.

LA FONTAINE RÉÉCRIVANT ÉSOPE

La Cigale et la Fourmi (I, 1) est l'une des plus célèbres fables de La Fontaine. C'est la première du premier Livre du premier recueil.

---

1. Voir pour plus de détails le chapitre 1, p. 26.

La Cigale ayant chanté
        Tout l'été,
Se trouva fort dépourvue
Quand la bise[1] fût venue :
5   Pas un seul petit morceau
De mouche ou de vermisseau.
Elle alla crier famine
Chez la Fourmi sa voisine,
La priant de lui prêter
10   Quelque grain pour subsister
Jusqu'à la saison nouvelle.
« Je vous paierai, lui dit-elle
Avant l'oût[2], foi d'animal,
Intérêt et principal. »
15   La Fourmi n'est pas prêteuse ;
C'est là son moindre défaut.
« Que faisiez-vous au temps chaud ?
Dit-elle à cette emprunteuse.
— Nuit et jour à tout venant
20   Je chantais, ne vous déplaise.
— Vous chantiez ? J'en suis fort aise.
Eh bien ! dansez maintenant.

Ésope en est la source principale La voici telle que La Fontaine a pu la lire dans le recueil de Nevelet[3] :

La Cigale et les Fourmis

Pendant l'hiver, leur blé étant humide, les fourmis le faisaient sécher. La cigale, mourant de faim, leur demandait de la nourriture. Les fourmis lui répondirent : « Pourquoi en été n'amassais-tu pas de quoi manger ? — Je n'étais pas inactive, dit celle-ci, je chantais mélodieusement. » Les fourmis se mirent à rire. « Eh bien, si en été tu chantais, maintenant que c'est l'hiver, danse. » Cette fable montre qu'il ne faut pas être négligent en quoi que ce soit, si l'on veut éviter le chagrin et les dangers.

Une évidence s'impose à la lecture : ces deux textes traitent du même sujet et illustrent la même « moralité » ; tout, en même temps, les distingue. Si les constantes sont indéniables, ces constantes ne font que mieux ressortir les différences.

---

1. La *bise* : le vent du nord, c'est-à-dire l'hiver.

2. *Oût* : août, pour désigner la saison des moissons.

3. Du nom de l'érudit qui, au XVIIIe siècle, rassembla dans un recueil les fables d'Ésope et de Phèdre ; pour plus de détails, voir le chapitre 1, p. 26.

Les constantes

Dans un cas comme dans l'autre, la fable est animalière. Les situations sont identiques : au dénuement de la Cigale s'oppose l'aisance des Fourmis ; à l'insouciance de la première répond la prévoyance des secondes. Le récit fait se succéder narration et dialogue. Les oppositions verbales obéissent au même parallélisme : chez Ésope, « chantais »/ « danse » ; chez La Fontaine, « chantais »/ « dansez ». La chute finale demeure la même.

Les différences

En réécrivant la fable d'Ésope, La Fontaine s'écarte pourtant considérablement de sa source :

– par la modification du titre : la fable campe désormais deux personnages fortement individualisés (et non plus une cigale et la collectivité des « fourmis »). Cette individualisation rend le récit plus vivant.

– Par la recherche du pittoresque et des précisions concrètes : le dénuement de la cigale s'exprime dans le commentaire narrativisé des vers 5 et 6 (« Pas un seul petit morceau/De mouche et de vermisseau »).

– Par le décalque d'expressions humaines. « Foi de… » renvoie à la formule rituelle des serments (par exemple : « foi d'honnête homme » ou « sur la foi des témoins »). Le contraste est plaisant entre « foi de… » et « animal », lequel est de surcroît un insecte ! Le vers 14 (« Intérêt et principal ») appartient au vocabulaire de la finance. Quand on contracte un emprunt, il faut rembourser le capital (le « principal ») et les « intérêts ». Le récit prend ainsi des allures humoristiques.

– Par la concision du récit. L'heptasyllabe (vers de sept syllabes) donne une impression de rapidité. Les effets musicaux sont travaillés : aux sonorités claires des deux premiers vers font écho les sonorités assourdies des deux vers suivants.

– Par la suppression de la « moralité » qui d'explicite chez Ésope devient implicite. La fable s'en trouve allégée d'autant.

On le voit, par ces brèves remarques, la réécriture à laquelle se livre La Fontaine devient écriture nouvelle, personnelle et originale.

LA FONTAINE RÉÉCRIVANT LA FONTAINE

Les *Fables* comportent quelques fables dites « doubles », parce qu'elles traitent le même sujet de façon différente[1]. Tel est le cas du *Héron. La Fille* (VII, 4) :

> Un jour, sur ses longs pieds, allait, je ne sais où,
> Le Héron au long bec emmanché d'un long cou.
> Il côtoyait une rivière.
> L'onde était transparente ainsi qu'aux plus beaux jours ;
> 5 Ma commère la carpe y faisait mille tours
> Avec le Brochet son compère.
> Le Héron en eût fait aisément son profit :
> Tous approchaient du bord, l'oiseau n'avait qu'à prendre.
> Mais il crut mieux faire d'attendre
> 10 Qu'il eût un peu plus d'appétit :
> Il vivait de régime, et mangeait à ses heures.
> Après quelques moments, l'appétit vint ; l'oiseau,
> S'approchant du bord, vit sur l'eau
> Des tanches qui sortaient du fond de ces demeures.
> 15 Le mets ne lui plut pas ; il s'attendait à mieux
> Et montrait un goût dédaigneux,
> Comme le rat du bon Horace[2]
> « Moi, des tanches ? dit-il, moi, Héron, que je fasse
> Une si pauvre chère[3] ? Et pour qui me prend-on ? »
> 20 La tanche rebutée, il trouva du goujon.
> « Du goujon ? c'est bien là le dîner d'un Héron !
> J'ouvrirais pour si peu le bec ! Aux dieux ne plaise ! »
> Il l'ouvrit pour bien moins : tout alla de façon
> Qu'il ne vit plus aucun poisson.
> 25 La faim le prit ; il fut tout heureux et tout aise
> De rencontrer un limaçon.
> Ne soyons pas si difficiles :
> Les plus accommodants, ce sont les plus habiles ;
> On hasarde de perdre en voulant trop gagner.
> Gardez-vous de rien dédaigner,
> 30 Surtout quand vous avez à peu près votre compte.

---

1. Une autre fable double est celle de *La Mort et le Bûcheron* (I, 16).
2. Poète latin du premier siècle de notre ère, auteur notamment de satires.
3. *Chère* : repas.

Bien des gens y sont pris ; ce n'est pas aux Hérons
Que je parle ; écoutez, humains, un autre conte :
Vous verrez que chez vous j'ai puisé ces leçons.
35   Certaine fille un peu trop fière
      Prétendait trouver un mari
Jeune, bien fait, et beau, d'agréable manière,
Point froid et point jaloux ; notez ces deux points-ci.
      Cette fille voulait aussi
40   Qu'il eût du bien, de la naissance,
De l'esprit, enfin tout ; mais qui peut tout avoir ?
Le destin se montra soigneux de la pourvoir :
      Il vint des partis d'importance.
La belle les trouva trop chétifs de moitié.
45 « Quoi moi ? quoi ces gens-là ? l'on radote, je pense.
À moi les proposer ! hélas ils font pitié.
      Voyez un peu la belle espèce ! »
L'un n'avait en l'esprit nulle délicatesse ;
L'autre avait le nez fait de cette façon-là ;
50   C'était ceci, c'était cela,
      C'était tout ; car les précieuses
      Font dessus tout les dédaigneuses.
Après les bons partis les médiocres[1] gens
      Vinrent se mettre sur les rangs.
55 Elle de se moquer. « Ah vraiment, je suis bonne
De leur ouvrir la porte : ils pensent que je suis
      Fort en peine de ma personne.
      Grâce à Dieu je passe les nuits
      Sans chagrin, quoique en solitude. »
60 La belle se sut gré de tous ces sentiments.
L'âge la fit déchoir ; adieu tous les amants.
Un an se passe et deux avec inquiétude.
Le chagrin vient ensuite : elle sent chaque jour
Déloger quelques Ris[2], quelques jeux, puis l'amour ;
65   Puis ses traits choquer et déplaire ;
Puis cent sortes de fards. Ses soins ne purent faire
Qu'elle échappât au temps, cet insigne larron :
      Les ruines d'une maison
Se peuvent réparer ; que n'est cet avantage
70   Pour les ruines du visage !
Sa préciosité changea lors de langage.
Son miroir lui disait : « Prenez vite un mari. »

---

1. *Médiocres* : au sens latin de « moyens » ; c'est-à-dire « de condition moyenne ».
2. *Ris* : rires.

Je ne sais quel désir le lui disait aussi ;
Le désir peut loger chez une précieuse.
75   Celle-ci fit un choix qu'on n'aurait jamais cru,
Se trouvant à la fin tout aise et tout heureuse
     De rencontrer un malotru.

Reprises et parallélisme

La « moralité » (v. 27-34) sert à la fois d'épilogue au *Héron* et de prologue à *La Fille*. Elle assure l'unité et la cohérence de l'ensemble. Autour de cette « moralité », le fabuliste construit deux récits parallèles : l'autre, dans le monde des humains. La reprise de mêmes formules à la fin de chaque récit renforce la symétrie. Aux vers 25 et 26 s'appliquant au Héron :

La faim le prit ; il fut tout heureux et tout aise
De rencontrer un limaçon ;

répondent les vers 76 et 77, s'appliquant à la Fille :

Se trouvant à la fin tout aise et tout heureuse
De rencontrer un malotru.

De la fable au conte

La Fille n'est pas toutefois la simple transposition sur le plan humain du *Héron*, même si les deux « personnages » connaissent la même mésaventure. Le premier récit est plus concentré que le second. Les refus dédaigneux de la « fille » sont plus amplement développés : ils s'étalent sur dix vers. L'effet de chute et de déchéance est plus accentué : ce sont d'abord des « partis d'importance » (v. 43), puis des « médiocres gens » (v. 53). Le récit s'étend sur une durée beaucoup plus longue : plusieurs années s'écoulent entre le début et la fin du récit.

Le fabuliste insiste sur les ravages du temps, de sorte que s'instaure une progression dramatique qui est absente dans *Le Héron*. La charge satirique est plus forte. Après Molière, La Fontaine se moque des minauderies et des dédains des « précieuses ». La présence du fabuliste se manifeste dans la distance railleuse avec laquelle il décrit son personnage : « la belle… » (v. 60) ; dans le recours à un registre ironique (v. 73-74) :

> Je ne sais quel désir le lui disait aussi ;
> Le désir peut loger chez une précieuse.

Cette extension du récit et la diversité des registres apparentent davantage *La Fille* au conte qu'à la fable proprement dite. C'est aussi la preuve que sur un même sujet, La Fontaine sait se renouveler : la réécriture est ici variation et recréation. Tant il est vrai qu'en littérature, ce qui compte, c'est moins ce qu'on dit que la manière dont on le dit !

Bibliographie

SUR LA VIE DE LA FONTAINE

- DUCHÊNE, Roger, *La Fontaine*, Éd. A. Fayard, 1990.
  Une biographie alerte et fort documentée.

SUR LA THÉORIE DE LA FABLE
ET SUR LES CONCEPTIONS DE LA FONTAINE

- COUTON, Georges, *La Poétique de La Fontaine*, P.U.F., 1957.
  Un historique du genre, de ses caractéristiques et de l'utilisation qu'en fait La Fontaine. Un ouvrage précis, savant, mais d'accès facile.

SUR LES FABLES

- BIARD, Jean-Dominique, *Le Style des Fables de La Fontaine*, Éd. Nizet, 1970.
- BORNECQUE, Pierre, *La Fontaine fabuliste*, S.E.D.E.S., 1973.
  Une étude thématique pour l'essentiel.
- COLLINET, Jean-Pierre, *Le Monde littéraire de La Fontaine*, P.U.F., 1970. L'ouvrage de référence sur les goûts et la formation intellectuelle de La Fontaine.
- COUTON, Georges, *La Politique de La Fontaine*, Éd. Les Belles Lettres, 1959. Une étude des positions politiques de La Fontaine et des échos de l'actualité dans les *Fables*.
- DANDREY, Patrick, *La Fabrique des Fables. Essai sur la poétique de La Fontaine*, Éd. Klincksieck, 1991. Une étude savante, d'un accès parfois difficile, sur la poétique de La Fontaine.
- GOHIN, Ferdinand, *L'Art de La Fontaine dans ses fables*, Éd. Garnier, 1939. Une approche stylistique.
- JASINSKI, René, *La Fontaine et le premier recueil des Fables*, 2 vol., Éd. Nizet, 1966. Une étude des allusions politiques (notamment à Fouquet) contenues dans les fables du premier recueil.

- JASINSKI, René, *À travers le xviiᵉ siècle* : « Le Gassendisme dans le second recueil des Fables », Éd. Nizet, 1981, t. II, p. 75-120. Une analyse de la philosophie de La Fontaine.
- RICHARD, Noël, *La Fontaine et les Fables du deuxième recueil*, Éd. Nizet, 1972.

QUELQUES ARTICLES IMPORTANTS

- BUSSON, Henri, « La Fontaine et l'âme des bêtes », *Revue d'histoire littéraire de la France*, janvier 1935 et juin 1936.
- FABRE, Jean, « La Fontaine et l'aventure dans les Fables de la Fontaine », *Bulletin de la Faculté des Lettres de Strasbourg*, mai-juin 1936.

Index des thèmes et des notions

Les références renvoient aux pages de ce Profil.

Achevé d'imprimer par CPI Bussière
à Saint-Amand (Cher) – France
Dépôt légal : 73746-6/12 – avril 2014. N° d'imp. : 2009171